WILHELM FURTWÄNGLER

KONZERTPROGRAMME, OPERN UND VORTRÄGE

1947 BIS 1954

WILHELM FURTWÄNGLER

Konzertprogramme
Opern und Vorträge
1947 bis 1954

Zusammengestellt
von
HENNING SMIDTH OLSEN

F. A. BROCKHAUS · WIESBADEN

1972

V. Nr. W 1009 · ISBN 3-7653-0259-7

Satz und Druck: Georg Messer KG, Pfungstadt

VORWORT

Die hier vorliegende Zusammenstellung der Konzerte und Opern, die Wilhelm Furtwängler 1947 – 1954 dirigiert hat, gründet sich in erster Linie auf Auskünfte, die ich dem Archiv von Frau Elisabeth Furtwängler entnommen habe. Ohne ihre gütige Hilfe, für die ich sehr dankbar bin, wäre dieses kleine Buch nicht zustande gekommen.

Die Liste umfaßt alle öffentlichen Konzerte im obenerwähnten Zeitraum, während geschlossene Studienaufführungen und Generalproben nicht aufgenommen sind; dagegen sind Vorträge angegeben, die Dr. Furtwängler im selben Zeitraum gehalten hat.

Die Aufstellung ist chronologisch; wurden Opern mehrfach gegeben, finden sich die Daten neben der ersten Aufführung.

Bei der Ausarbeitung sind folgende Werke von großer Hilfe gewesen:

Martin Hürlimann: Wilhelm Furtwängler im Urteil seiner Zeit.
Atlantis Verlag, Zürich, 1955.

Josef Kaut: Festspiele in Salzburg.
Residenz Verlag, Salzburg, 1965.

Peter Wackernagel: Wilhelm Furtwängler. Die Programme der Konzerte mit dem Berliner Philharmonischen Orchester 1922 – 1954. 2. Auflage.
F.A. Brockhaus, Wiesbaden, 1965.

Für weitere, ebenfalls wertvolle Hilfe danke ich folgenden Orchestern und Organisationen:

Accademia Nazionale di Santa Cecilia, Roma – Bayreuther Festspiele – Berliner Philharmoniker – Concertgebouworkest, Amsterdam – Deutsche Oper, Berlin – Deutsche Staatsoper, Berlin – Gesellschaft für Handel, Industrie und Wissenschaft, Frankfurt am Main – London Philharmonic Orchestra Ltd. – Münchner Philharmoniker – Opernhaus Zürich – Philharmonisches Staatsorchester, Hamburg – Radiotelevisione Italiana, RAI, Roma – Salzburger Festspiele – Schweizerische Radio- und Fernsehgesellschaft, Bern – Teatro alla Scala, Milano – Teatro Colon, Buenos Aires – Wiener Philharmoniker – Wiener Staatsoper – Wiener Symphoniker

Charlottenlund 1972 *Henning Smidth Olsen*

6. April 1947, Roma.
Orchestra Accademia Santa Cecilia.
L. van Beethoven: Leonoren-Ouvertüre Nr. 2, C-Dur op. 72
Fr. Schubert: Sinfonie Nr. 8, h-Moll op. posth., D 759
Joh. Brahms: Sinfonie Nr. 2, D-Dur op. 73

9. April 1947, Roma.
Orchestra Accademia Santa Cecilia.
Jos. Haydn: Sinfonie Nr. 101, D-Dur
Rich. Strauss: Tod und Verklärung, op. 24
L. van Beethoven: Sinfonie Nr. 5, c-Moll op. 67

13. April 1947, Firenze.
Orchestra del Teatro Communale.
Joh. Brahms: Variationen über ein Thema von Joseph Haydn, op. 56a
L. van Beethoven: Leonoren-Ouvertüre Nr. 3, C-Dur op. 72a
L. van Beethoven: Sinfonie Nr. 3, Es-Dur op. 55

20. April 1947, Firenze.
Orchestra del Teatro Communale.
Jos. Haydn: Sinfonie Nr. 101, D-Dur
Rich. Wagner: Tristan und Isolde: Vorspiel und Liebestod
L. van Beethoven: Sinfonie Nr. 5, c-Moll op. 67
Zugabe:
Rich. Wagner: Tannhäuser-Ouvertüre

25., 26., 27. und 29. Mai 1947, Berlin.
Berliner Philharmoniker
L. van Beethoven: Egmont-Ouvertüre, f-Moll op. 84
L. van Beethoven: Sinfonie Nr. 6, F-Dur op. 68
L. van Beethoven: Sinfonie Nr. 5, c-Moll op. 67

2. Juni 1947, Berlin.
Staatsopernkapelle.
L. van Beethoven: Sinfonie Nr. 1, C-Dur op. 21
Rich. Strauss: Till Eulenspiegels lustige Streiche, op. 28
P. I. Tschaikowsky: Sinfonie Nr. 6, h-Moll op. 74

9. Juni 1947, Hamburg.
Hamburger Philharmoniker.
L. van Beethoven: Leonoren-Ouvertüre Nr. 2, C-Dur op. 72
Rich. Strauss: Tod und Verklärung, op. 24
Joh. Brahms: Sinfonie Nr. 2, D-Dur op. 73

12. Juni 1947, München.
Münchner Philharmoniker.
L. van Beethoven: Egmont-Ouvertüre, f-Moll op. 84
L. van Beethoven: Sinfonie Nr. 6, F-Dur op. 68
L. van Beethoven: Sinfonie Nr. 5, c-Moll op. 67

10. August 1947, Salzburg.
Wiener Philharmoniker.
C. M. von Weber: Freischütz-Ouvertüre, op. 77
Rich. Strauss: Tod und Verklärung, op. 24
Fr. Schubert: Sinfonie Nr. 9, C-Dur op. posth., D 944

13. August 1947, Salzburg.
Wiener Philharmoniker.
P. Hindemith: Sinfonische Metamorphosen über Themen von Carl Maria von Weber
Joh. Brahms: Konzert für Violine und Orchester, D - Dur op. 77
Yehudi Menuhin, Violine
Joh. Brahms: Sinfonie Nr. 1, c - Moll op. 68

20. und 21. August 1947, Luzern.
Luzerner Festspielorchester, Festwochenchor (Albert Jenny).
Joh. Brahms: Ein deutsches Requiem, op. 45
Elisabeth Schwarzkopf, Sopran
Hans Hotter, Bariton

27. August 1947, Luzern.
Luzerner Festspielorchester.
L. van Beethoven: Konzert Nr. 1 für Klavier und Orchester, C-Dur op. 15
Adrian Aeschbacher, Klavier
L. van Beethoven: Leonoren-Ouvertüre Nr. 3, C-Dur op. 72a
Joh. Brahms: Sinfonie Nr. 1, c-Moll op. 68

30. August 1947, Luzern.
Luzerner Festspielorchester.
Rich. Wagner: Lohengrin: Vorspiel, Akt 1
L. van Beethoven: Konzert für Violine und Orchester, D-Dur op. 61
Yehudi Menuhin, Violine
Joh. Brahms: Sinfonie Nr. 1, c-Moll op. 68

14., 15. und 16. September 1947, Berlin.
Berliner Philharmoniker.
P. Hindemith: Sinfonische Metamorphosen über Themen von Carl Maria von Weber
Rich. Strauss: Don Juan, op. 20
Joh. Brahms: Sinfonie Nr. 2, D-Dur op. 73

28. und 30. September 1947, Berlin.
Berliner Philharmoniker.
F. Mendelssohn-Bartholdy: Ein Sommernachtstraum: Ouvertüre, op. 21
L. van Beethoven: Konzert für Violine und Orchester, D-Dur op. 61
Yehudi Menuhin, Violine
L. van Beethoven: Sinfonie Nr. 7, A-Dur op. 92

2. Oktober 1947, Berlin.
Staatsopernkapelle.
Chr. W. von Gluck: Alceste-Ouvertüre
L. van Beethoven: Konzert für Violine und Orchester, D-Dur op. 61
Yehudi Menuhin, Violine
Rich. Wagner: Tristan und Isolde: Vorspiel und Liebestod

3. und 30. Oktober 1947, Berlin. *)
Staatsopernkapelle, Staatsopernchor.
Regie: Frida Leider, Bühnenbild: Lothar Schenk von Trapp.

*) Für diese beiden Aufführungen gab Frau Furtwängler den 21. und 31. Oktober 1947 an; die obigen Daten stammen von der Deutschen Staatsoper, Berlin.

Rich. Wagner: Tristan und Isolde

Tristan	Ludwig Suthaus
König Marke	Gottlob Frick
Isolde	Erna Schlüter (3. Okt.)
	Paula Buchner (30. Okt.)
Kurwenal	Jaro Prohaska
Brangäne	Margarete Klose
Melot	Kurt Rehm
Hirt	Gerhard Witting
Steuermann	Hasso Eschert
Seemann	Paul Schmidtmann

8. Oktober 1947, Stockholm.
Stockholms Konsertförenings Orkester.
P. Hindemith: Sinfonische Metamorphosen über Themen von Carl Maria von Weber
Joh. Brahms: Sinfonie Nr. 2, D-Dur op. 73

10. Oktober 1947, Stockholm.
Stockholms Konsertförenings Orkester.
L. van Beethoven: Sinfonie Nr. 1, C-Dur op. 21
L. van Beethoven: Coriolan-Ouvertüre, op. 62
P. I. Tschaikowsky: Sinfonie Nr. 6, h-Moll op. 74

15., 17. und 18. Oktober 1947, München.
Münchner Philharmoniker.
C. M. von Weber: Freischütz-Ouvertüre, op. 77
P. Hindemith: Sinfonische Metamorphosen über Themen von Carl Maria von Weber
Joh. Brahms: Sinfonie Nr. 1, c-Moll op. 68

21. Oktober 1947, Berlin. *)
Staatsopernkapelle.
Chr. W. von Gluck: Alceste-Ouvertüre
Rich. Wagner: Tristan und Isolde: Vorspiel und Liebestod
P. I. Tschaikowsky: Sinfonie Nr. 6, h-Moll op. 74

26. und 27. Oktober 1947, Berlin.
Berliner Philharmoniker.
Jos. Haydn: Sinfonie Nr. 101, D-Dur
Rich. Strauss: Metamorphosen – Studie für 23 Streicher
P. I. Tschaikowsky: Sinfonie Nr. 5, e-Moll op. 64

4. November 1947, Leipzig.
Gewandhaus Orchester.
F. Mendelssohn-Bartholdy: Die Hebriden, op. 26
F. Mendelssohn-Bartholdy: Sinfonie Nr. 4, A-Dur op. 90
L. van Beethoven: Sinfonie Nr. 3, Es-Dur op. 55

8. und 9. November 1947, Wien.
Wiener Philharmoniker.
F. Mendelssohn-Bartholdy: Ein Sommernachtstraum: Ouvertüre, op. 21
F. Mendelssohn-Bartholdy: Konzert für Violine und Orchester, e-Moll op. 64
Wolfgang Schneiderhan, Violine
L. van Beethoven: Sinfonie Nr. 3, Es-Dur op. 55

---

*) Über diese Aufführung hat Frau Furtwängler keine Unterlagen, vgl. 2. und 3. Oktober 1947.

16. November 1947, Wien.
Wiener Philharmoniker.
P. Hindemith: Sinfonische Metamorphosen über Themen von Carl Maria von Weber
Rich. Strauss: Don Juan, op. 20
Joh. Brahms: Sinfonie Nr. 1, c-Moll op. 68

29. und 30. November 1947, Wien.
Wiener Philharmoniker.
L. van Beethoven: Sinfonie Nr. 6, F-Dur op. 68
L. van Beethoven: Sinfonie Nr. 5, c-Moll op. 67

3. und 4. Dezember 1947, Wien.
Wiener Symphoniker, Chor der Wiener Singverein.
Joh. Brahms: Ein deutsches Requiem, op. 45
Elisabeth Schwarzkopf, Sopran
Paul Schöffler, Bariton

12. und 13. Dezember 1947, Genève.
Orchestre de la Suisse Romande.
L. van Beethoven: Coriolan-Ouvertüre, op. 62
L. van Beethoven: Sinfonie Nr. 6, F-Dur op. 68
L. van Beethoven: Sinfonie Nr. 7, A-Dur op. 92

17. Dezember 1947, Winterthur.
Winterthurer Stadtorchester.
Joh. Brahms: Variationen über ein Thema von Joseph Haydn, op. 56a
L. van Beethoven: Leonoren-Ouvertüre Nr. 3, C-Dur op. 72a
L. van Beethoven: Sinfonie Nr. 7, A-Dur op. 92

19. Dezember 1947, Schaffhausen.
Winterthurer Stadtorchester.
Joh. Brahms: Variationen über ein Thema von Joseph Haydn, op. 56a
L. van Beethoven: Leonoren-Ouvertüre Nr. 3, C-Dur op. 72a
L. van Beethoven: Sinfonie Nr. 7, A-Dur op. 92

13. Januar 1948, Bern.
Berner Orchester.
A. Bruckner: Sinfonie Nr. 8, c-Moll (Originalfassung)

24. und 25. Januar 1948, Paris.
Orchestre du Conservatoire.
L. van Beethoven: Sinfonie Nr. 5, c-Moll op. 67
Cl. Debussy: Deux Nocturnes, „Nuages" und „Fêtes"
Rich. Strauss: Till Eulenspiegels lustige Streiche, op. 28
Rich. Wagner: Tristan und Isolde: Vorspiel und Liebestod

31. Januar 1948, Wien.
Wiener Philharmoniker.
L. van Beethoven: Sinfonie Nr. 8, F-Dur op. 93
L. van Beethoven: Leonoren-Ouvertüre Nr. 3, C-Dur op. 72a
L. van Beethoven: Sinfonie Nr. 7, A-Dur op. 92

4. und 5. Februar 1948, Wien.
Wiener Symphoniker.
G. Fr. Händel: Concerto Grosso, D-Dur op. 6, Nr. 5
M. Ravel: Daphnis et Chloë, 2. Suite
P. I. Tschaikowsky: Sinfonie Nr. 6, h-Moll op. 74

15. und 16. Februar 1948, Berlin.
Berliner Philharmoniker.
G. Fr. Händel: Concerto Grosso, D-Dur op. 6, Nr. 5
Rob. Schumann: Sinfonie Nr. 4, d-Moll op. 120
Cl. Debussy: Deux Nocturnes, „Nuages" und „Fêtes"
I. Stravinsky: Suite aus Der Feuervogel

22. und 23. Februar 1948, Berlin.
Berliner Philharmoniker.
G. Fr. Händel: Concerto Grosso, D-Dur op. 6, Nr. 5
W. Furtwängler: Sinfonie Nr. 2, e-Moll (Uraufführung)

29. Februar 1948, London.
London Philharmonic Orchestra.
R. Vaughan Williams: Fantasia on a theme of Thomas Tallis
Rob. Schumann: Sinfonie Nr. 4, d-Moll op. 120
L. van Beethoven: Sinfonie Nr. 7, A-Dur op. 92

4. März 1948, London.
London Philharmonic Orchestra.
F. Mendelssohn-Bartholdy: Die Hebriden, op. 26
G. Mahler: Lieder eines fahrenden Gesellen
Eugenia Zareska, Mezzosopran
Rich. Strauss: Tod und Verklärung, op. 24
Joh. Brahms: Sinfonie Nr. 1, c-Moll op. 68

5. März 1948, Birmingham.
London Philharmonic Orchestra.
F. Mendelssohn-Bartholdy: Die Hebriden, op. 26
L. van Beethoven: Sinfonie Nr. 7, A-Dur op. 92
Joh. Brahms: Sinfonie Nr. 1, c-Moll op. 68

6. März 1948, Leicester.
London Philharmonic Orchestra.
F. Mendelssohn-Bartholdy: Die Hebriden, op. 26
L. van Beethoven: Sinfonie Nr. 7, A-Dur op. 92
Joh. Brahms: Sinfonie Nr. 1, c-Moll op. 68

8. März 1948, Watford.
London Philharmonic Orchestra.
F. Mendelssohn-Bartholdy: Die Hebriden, op. 26
G. Mahler: Lieder eines fahrenden Gesellen
Eugenia Zareska, Mezzosopran
Rich. Strauss: Tod und Verklärung, op. 24
Joh. Brahms: Sinfonie Nr. 1, c-Moll op. 68

9. März 1948, Wimbledon.
London Philharmonic Orchestra.
F. Mendelssohn-Bartholdy: Die Hebriden, op. 26
Rich. Strauss: Tod und Verklärung, op. 24
G. Mahler: Lieder eines fahrenden Gesellen
Eugenia Zareska, Mezzosopran
Joh. Brahms: Sinfonie Nr. 1, c-Moll op. 68

11. März 1948, London.
London Philharmonic Orchestra.
J. Haydn: Sinfonie Nr. 101, D-Dur
J. Sibelius: En Saga, op. 9
Joh. Brahms: Sinfonie Nr. 2, D-Dur op. 73

14. März 1948, London.
London Philharmonic Orchestra.
C. M. von Weber: Oberon-Ouvertüre
Joh. Brahms: Sinfonie Nr. 3, F-Dur op. 90
M. Ravel: Daphnis et Chloë, 2. Suite
Rich. Wagner: Tannhäuser-Ouvertüre

18. März 1948, London.
London Philharmonic Orchestra.
Chr. W. von Gluck: Alceste-Ouvertüre
Joh. Brahms: Sinfonie Nr. 4, e-Moll op. 98
Rich. Strauss: Till Eulenspiegels lustige Streiche, op. 28
Rich Wagner: Tristan und Isolde: Vorspiel und Liebestod

25. März 1948, London.
London Philharmonic Choir and Orchestra.
G. Fr. Händel: Concerto Grosso, D-Dur op. 6, Nr. 5
L. van Beethoven: Sinfonie Nr. 9, d-Moll op. 125
Joan Hammond, Mary Jarred, Parry Jones, William Parsons

6. April 1948, Buenos Aires.
Orquesta del Teatro Colon.
L. van Beethoven: Sinfonie Nr. 1, C-Dur op. 21
Rich. Strauss: Tod und Verklärung, op. 24
Joh. Brahms: Sinfonie Nr. 1, c-Moll op. 68

10. April 1948, Buenos Aires.
Orquesta del Teatro Colon.
G. Fr. Händel: Concerto Grosso, D-Dur op. 6, Nr. 5
Rob. Schumann: Sinfonie Nr. 4, d-Moll op. 120

M. Ravel: Daphnis et Chloë, 2. Suite
Rich. Wagner: Tannhäuser-Ouvertüre,

14. April 1948, Buenos Aires.
Orquesta del Teatro Colon.
F. Mendelssohn-Bartholdy:
Die Hebriden, op. 26
Rich. Strauss: Ein Heldenleben, op. 40
L. van Beethoven: Sinfonie Nr. 5, c-Moll op. 67

17. April 1948, Buenos Aires.
Orquesta del Teatro Colon.
A. Bruckner: Sinfonie Nr. 4, Es-Dur
Rich. Wagner: Siegfried-Idyll
Rich. Wagner: Trauermusik aus Götterdämmerung
Rich. Wagner: Die Meistersinger von Nürnberg: Vorspiel, Akt. 1

24. April 1948, Buenos Aires.
Orquesta del Teatro Colon.
W. A. Mozart: Sinfonie Nr. 40, g-Moll KV 550
L. van Beethoven: Leonoren-Ouvertüre Nr. 3, C-Dur op. 72a
I. Stravinsky: Suite aus Der Feuervogel
Rich. Wagner: Tristan und Isolde: Vorspiel und Liebestod

28. April 1948, Buenos Aires.
Orquesta del Teatro Colon.
Jos. Haydn: Sinfonie Nr. 101, D-Dur
Ott. Respighi: Fontane di Roma
L. Buchardo: Escenas Argentinas
P. I. Tschaikowsky: Sinfonie Nr. 6, h-Moll op. 74

29. April 1948, Buenos Aires.
Orquesta del Teatro Colon.
L. van Beethoven: Sinfonie Nr. 1, C-Dur op. 21
L. van Beethoven: Leonoren-Ouvertüre Nr. 3, C-Dur op. 72a
P. I. Tschaikowsky: Sinfonie Nr. 6, h-Moll op. 74
Rich. Wagner: Die Meistersinger von Nürnberg: Vorspiel, Akt 1

4. Mai 1948, Buenos Aires.
Orquesta del Teatro Colon, Coro Estable del Teatro Colon.
G. Fr. Händel: Concerto Grosso, D-Dur op. 6, Nr. 5
L. van Beethoven: Sinfonie Nr. 9, d-Moll op. 125
Nilda Hoffmann, Zaira Negroni, Koloman von Pataky, Angelo Mattiello

12. Mai 1948, Roma.
Orchestra Accademia Santa Cecilia.
L. Cherubini: Anacréon-Ouvertüre,
Rob. Schumann: Sinfonie Nr. 4, d-Moll op. 120
M. Ravel: Daphnis et Chloë, 2. Suite
Rich. Wagner: Tannhäuser-Ouvertüre

16. Mai 1948, Roma.
Orchestra Accademia Santa Cecilia.
L. van Beethoven: Coriolan-Ouvertüre, op. 62
L. van Beethoven: Sinfonie Nr. 6, F-Dur op. 68
L. van Beethoven: Sinfonie Nr. 7, A-Dur op. 92

19. Mai 1948, Firenze.
Orchestra del Teatro Communale.
C. M. von Weber: Freischütz-Ouvertüre, op. 77
V. Frazzi: Cicilia
Rich. Wagner: Karfreitagszauber aus Parsifal

Joh. Brahms: Sinfonie Nr. 1, c-Moll op. 68

21. Mai 1948, Firenze.
Orchestra del Teatro Communale.
Ott. Respighi: Fontane di Roma
Rich. Strauss: Tod und Verklärung, op. 24
L. van Beethoven: Sinfonie Nr. 7, A-Dur op. 92
Zugabe: *Rich. Wagner:* Die Meistersinger von Nürnberg: Vorspiel, Akt 1

26. Mai 1948, Milano.
Orchestra del Teatro alla Scala di Milano.
C. M. von Weber: Freischütz-Ouvertüre, op. 77
Ott. Respighi: Fontane di Roma
Rich. Strauss: Till Eulenspiegels lustige Streiche, op. 28
Joh. Brahms: Sinfonie Nr. 1, c-Moll op. 68

29. Mai 1948, Milano.
Orchestra del Teatro alla Scala di Milano.
L. van Beethoven: Coriolan-Ouvertüre, op. 62
L. van Beethoven: Sinfonie Nr. 6, F-Dur op. 68
Rob. Schumann: Konzert für Violoncello und Orchester, a-Moll op. 129
Enrico Mainardi, Violoncello
Rich. Wagner: Trauermusik aus Götterdämmerung
Rich. Wagner: Die Meistersinger von Nürnberg: Vorspiel, Akt 1

3. Juni 1948, Basel.
Wiener Philharmoniker.
W. A. Mozart: Serenade Nr. 10, B-Dur KV 361
Rob. Schumann: Sinfonie Nr. 4, d-Moll op. 120
L. van Beethoven: Sinfonie Nr. 5, c-Moll op. 67

4. Juni 1948, Genève.
Wiener Philharmoniker.
W. A. Mozart: Serenade Nr. 10, B-Dur KV 361
Rob. Schumann: Sinfonie Nr. 4, d-Moll op. 120
L. van Beethoven: Sinfonie Nr. 3, Es-Dur op. 55

5. Juni 1948, Montreux.
Wiener Philharmoniker.
W. A. Mozart: Serenade Nr. 10, B-Dur KV 361
Fr. Schubert: Sinfonie Nr. 8, h-Moll op. posth., D 759
L. van Beethoven: Sinfonie Nr. 3, Es-Dur op. 55

6. Juni 1948, Lausanne.
Wiener Philharmoniker.
Fr. Schubert: Rosamunde-Ouvertüre, D 644
Fr. Schubert: Sinfonie Nr. 8, h-Moll op. posth., D 759
L. van Beethoven: Sinfonie Nr. 5, c-Moll op. 67

7. Juni 1948, Bern.
Wiener Philharmoniker.
Fr. Schubert: Rosamunde-Ouvertüre, D 644
Fr. Schubert: Sinfonie Nr. 8, h-Moll op. posth., D 759

Fr. Schubert: Sinfonie Nr. 9, C-Dur op. posth., D 944

8. Juni 1948, Zürich.
Wiener Philharmoniker.
Fr. Schubert: Rosamunde-Ouvertüre, D 644
Fr. Schubert: Sinfonie Nr. 8, h-Moll op. posth., D 759
Fr. Schubert: Sinfonie Nr. 9, C-Dur op. posth., D 944
Zugabe: *Joh. Strauss:* Kaiserwalzer, op. 437

31. Juli, 3. und 6. August 1948, Salzburg.
Wiener Philharmoniker, Chor der Staatsoper Wien.
Regie: Günther Rennert,
Bühnenbild: Emil Preetorius.
L. van Beethoven: Fidelio, op. 72

Don Fernando	Otto Edelmann
Don Pizarro	Ferdinand Frantz
Florestan	Julius Patzak
Leonore	Erna Schlüter
Rocco	Herbert Alsen
Jacquino	Rudolf Schock
Marzelline	Lisa della Casa
1. Gefangener	Hermann Gallos
2. Gefangener	Karl Dönch

5. August 1948, Salzburg.
Wiener Philharmoniker.
A. Uhl: Introduktion und Variationen über ein Thema aus dem 16. Jahrhundert „Es geht eine dunkle Wolk' herein"
H. Pfitzner: Palestrina-Vorspiele 1–3
I. Stravinsky: Petrushka-Suite (1947 – Fassung)
Rich. Strauss: Ein Heldenleben, op. 40

18. August 1948, Luzern.
Luzerner Festspielorchester.
Rich. Wagner: Die Meistersinger von Nürnberg: Vorspiel, Akt 1
Rich. Wagner: Siegfried Idyll
Rich. Wagner: Trauermusik aus Götterdämmerung
A. Bruckner: Sinfonie Nr. 4, Es-Dur

28. und 29. August 1948, Luzern.
Luzerner Festspielorchester, Festwochenchor (Albert Jenny)
L. van Beethoven: Sinfonie Nr. 9, d-Moll op. 125
Elisabeth Schwarzkopf, Elsa Cavelti, Ernst Häflinger, Paul Schöffler

30. August 1948, Luzern.
Luzerner Festspielorchester.
L. van Beethoven: Sinfonie Nr 1, C-Dur op. 21
Rich. Wagner: Siegfried Idyll
Rich. Wagner: Trauermusik aus Götterdämmerung
Rich. Wagner: Die Meistersinger von Nürnberg: Vorspiel, Akt 1

8. September 1948, Edinburgh.
Orchestra Accademia Santa Cecilia.
L. Cherubini: Anacréon-Ouvertüre,
Joh. Brahms: Sinfonie Nr. 2, D-Dur op. 73
L. van Beethoven: Konzert für Violine, Violoncello, Klavier und Orchester, C-Dur op. 56
Gioconda de Vito, Violine
Enrico Mainardi, Violoncello
Arturo Benedetti Michelangeli, Klavier
L. van Beethoven: Leonoren-Ouvertüre Nr. 3, C-Dur op. 72a

9. September 1948, Edinburgh.
Orchestra Accademia Santa Cecilia.
G. F. Ghedini: Partita
Rich. Strauss: Tod und Verklärung, op. 24
L. van Beethoven: Sinfonie Nr. 5, c-Moll op. 67

24. September 1948, Wien.
Wiener Philharmoniker.
L. van Beethoven: Egmont-Ouvertüre, f-Moll op. 84
L. van Beethoven: Sinfonie Nr. 4, B-Dur op. 60
L. van Beethoven: Sinfonie Nr. 6, F-Dur op. 68

28. September 1948, London.
Wiener Philharmoniker.
L. van Beethoven: Egmont-Ouvertüre, f-Moll op. 84
L. van Beethoven: Sinfonie Nr. 6, F-Dur op. 68
L. van Beethoven: Sinfonie Nr. 5, c-Moll op. 67

30. September 1948, London.
Wiener Philharmoniker.
L. van Beethoven: Leonoren-Ouvertüre Nr. 3, C-Dur op. 72a
L. van Beethoven: Sinfonie Nr. 8, F-Dur op. 93
L. van Beethoven: Sinfonie Nr. 7, A-Dur op. 92

2. Oktober 1948, London.
Wiener Philharmoniker.
L. van Beethoven: Sinfonie Nr. 4, B-Dur op. 60
L. van Beethoven: Coriolan-Ouvertüre, op. 62
L. van Beethoven: Sinfonie Nr. 3, Es-Dur op. 55

3. Oktober 1948, London.
Wiener Philharmoniker.
L. van Beethoven: Sinfonie Nr. 1, C-Dur op. 21
L. van Beethoven: Sinfonie Nr. 2, D-Dur op. 36
L. van Beethoven: Konzert für Violine und Orchester, D-Dur op. 61
Yehudi Menuhin, Violine

6. Oktober 1948, London.
Wiener Philharmoniker, BBC Choral Society.
L. van Beethoven: Sinfonie Nr. 9, d-Moll op. 125
Ljuba Welitsch, Elisabeth Höngen, Julius Patzak, Norman Walker

17. und 18. Oktober 1948, Hamburg.*)
Hamburger Philharmoniker.
W. Furtwängler: Sinfonie Nr. 2, e-Moll

24., 25. und 26. Oktober 1948, Berlin.
Berliner Philharmoniker.
Joh. Seb. Bach: Suite Nr. 3 für Orchester, D-Dur BWV 1068
Fr. Schubert: Sinfonie Nr. 8, h-Moll op. posth., D 759
Joh. Brahms: Sinfonie Nr. 4, e-Moll op. 98

---

*) Beide Konzerte begannen mit Joh. Seb. Bach: Konzert für Violine, Oboe und Orchester, d-Moll BWV 1060, dirigiert von Eugen Jochum.

3. November 1948, London.
Berliner Philharmoniker.
Joh. Seb. Bach: Suite Nr. 3 für Orchester, D-Dur BWV 1068
L. van Beethoven: Konzert Nr. 4 für Klavier und Orchester, G-Dur op. 58
Myra Hess, Klavier
Joh. Brahms: Sinfonie Nr. 4, e-Moll op. 98

4. November 1948, Liverpool.
Berliner Philharmoniker.
Joh. Seb. Bach: Suite Nr. 3 für Orchester, D-Dur BWV 1068
Rich. Strauss: Till Eulenspiegels lustige Streiche, op. 28
Fr. Schubert: Sinfonie Nr. 9, C-Dur op. posth., D 944

5. November 1948, Birmingham.
Berliner Philharmoniker.
Joh. Seb. Bach: Suite Nr. 3 für Orchester, D-Dur BWV 1068
Rich. Strauss: Till Eulenspiegels lustige Streiche, op. 28
Joh. Brahms: Sinfonie Nr. 4, e-Moll op. 98

7. November 1948, Oxford.
Berliner Philharmoniker.
Fr. Schubert: Rosamunde-Ouvertüre, D 644
Fr. Schubert: Sinfonie Nr. 8, h-Moll op. posth., D 759
Fr. Schubert: Sinfonie Nr. 9, C-Dur op. posth., D 944

13. November 1948, Stockholm.
Stockholms Konsertförenings Orkester.
L. van Beethoven: Sinfonie Nr. 8, F-Dur op. 93
L. van Beethoven: Leonoren-Ouvertüre Nr. 3, C-Dur op. 72a
L. van Beethoven: Sinfonie Nr. 7, A-Dur op. 92

17., 18. und 19. November 1948, Stockholm.
Stockholms Konsertförenings Orkester, Musikaliska Sällskapets Kör.
Joh. Brahms: Ein deutsches Requiem, op. 45
Kerstin Lindberg-Torlind, Sopran
Bernhard Sönnerstedt, Bariton

27. und 28 November 1948, Paris.
Orchestre du Conservatoire.
Rich. Strauss: Don Juan, op. 20
Rob. Schumann: Sinfonie Nr. 4, d-Moll op. 120
L. van Beethoven: Sinfonie Nr. 7, A-Dur op. 92

4., 5. und 6. Dezember 1948, Wien.
Wiener Philharmoniker.
C. M. von Weber: Freischütz-Ouvertüre, op. 77
W. Walton: Sinfonie Nr. 1, b-Moll
P. I. Tschaikowsky: Sinfonie Nr. 5, e-Moll op. 64

18., 19. und 20. Dezember 1948, Wien.
Wiener Philharmoniker.
Jos. Marx: Nordland-Rhapsodie
Rich. Strauss: Konzert für Oboe und Orchester, D-Dur
Hans Kamesch, Oboe

21. und 22. Dezember 1948, Wien.
Wiener Symphoniker.
Joh. Brahms: Konzert für Violine und Orchester, D-Dur op. 77
Wolfgang Schneiderhan, Violine
A. Bruckner: Sinfonie Nr. 4, Es-Dur

19. Januar 1949, Genève.
Orchestre de la Suisse Romande.
Fr. Schubert: Sinfonie Nr. 9, C-Dur op. posth., D 944
Rich. Strauss: Till Eulenspiegels lustige Streiche, op. 28
Rich. Wagner: Siegfried-Idyll
Rich. Wagner: Die Meistersinger von Nürnberg: Vorspiel, Akt 1

20. Januar 1949, Lausanne.
Orchestre de la Suisse Romande.
Fr. Schubert: Sinfonie Nr. 9, C-Dur op. posth., D 944
Rich. Strauss: Till Eulenspiegels lustige Streiche, op. 28
Rich. Wagner: Siegfried-Idyll
Rich. Wagner: Die Meistersinger von Nürnberg: Vorspiel, Akt 1

21. Januar 1949, Fribourg.
Orchestre de la Suisse Romande.
Fr. Schubert: Sinfonie Nr. 9, C-Dur op. posth., D 944
Rich. Strauss: Till Eulenspiegels lustige Streiche, op. 28
Rich. Wagner: Siegfried-Idyll
Rich. Wagner: Die Meistersinger von Nürnberg: Vorspiel, Akt 1

26., 27., 28. und 29 Januar 1949, München.
Münchner Philharmoniker.
L. van Beethoven: Sinfonie Nr. 4, B-Dur op. 60
P. I. Tschaikowsky: Sinfonie Nr. 6, h-Moll op. 74

5. und 6. Februar 1949, Paris.
Orchestre du Conservatoire.
W. A. Mozart: Serenade Nr. 13, G-Dur KV 525
Rich. Wagner: Siegfried-Idyll
Rich. Wagner: Trauermusik aus Götterdämmerung
Joh. Brahms: Sinfonie Nr. 2, D-Dur op. 73

8. Februar 1949, Wien.
Wiener Philharmoniker.
W. A. Mozart: Serenade Nr. 10, B-Dur KV 361
W. A. Mozart: Konzert Nr. 10 für 2 Klaviere und Orchester, Es-Dur KV 365
Dagmar Bella und Paul Badura-Skoda, Klaviere
W. A. Mozart: Sinfonie Nr. 40, g-Moll KV 550

12., 13. und 14. Februar 1949, Wien.
Wiener Philharmoniker.
H. Pfitzner: Trauermarsch aus „Die Rose vom Liebesgarten"
A. Bruckner: Sinfonie Nr. 5, B-Dur (Originalfassung)

19., 20. und 21. Februar 1949, Wien.
Wiener Philharmoniker, Singverein der Gesellschaft der Musikfreunde.
L. van Beethoven: Sinfonie Nr. 9, d-Moll op. 125
Elisabeth Schwarzkopf, Elisabeth Höngen, Julius Patzak, Paul Schöffler

28. Februar und 1. März 1949, Bern.
Berner Orchester.
C. M. von Weber: Freischütz-Ouvertüre, op. 77

S. Barber: Adagio for Strings
Rich. Strauss: Till Eulenspiegels lustige Streiche, op. 28
P. I. Tschaikowsky: Sinfonie Nr. 6, h-Moll op. 74

9. März 1949. Winterthur.
Winterthurer Stadtorchester.
Jos. Haydn: Sinfonie in G-Dur (=Nr. 88?)
W. Furtwängler: Sinfonie Nr. 2, e-Moll

13., 14. und 15. März 1949, Berlin.
Berliner Philharmoniker.
A. Bruckner: Sinfonie Nr. 8, c-Moll (Originalfassung)

19., 20. und 21. März 1949, München.
Münchner Philharmoniker, Philharmonischer Chor.
L. van Beethoven: Sinfonie Nr. 9, d-Moll op. 125
Clara Ebers, Lore Fischer, Lorenz Fehenberger, Rudolf Watzke

14. Mai 1949, Firenze.
Orchestra del Teatro Communale.
W. A. Mozart: Serenade Nr. 13, G-Dur KV 525
Cl. Debussy: Deux Nocturnes, „Nuages" und „Fêtes"
Rich. Strauss: Till Eulenspiegels lustige Streiche, op. 28
Joh. Brahms: Sinfonie Nr. 2, D-Dur op. 73
Zugabe: *Rich. Wagner:* Der fliegende Holländer: Ouvertüre

18. Mai 1949, Roma.
Orchestra Accademia Santa Cecilia.
L. van Beethoven: Egmont-Ouvertüre, f-moll op. 84
L. van Beethoven: Sinfonie Nr. 4, B-Dur op. 60
L. van Beethoven: Sinfonie Nr. 5, c-Moll op. 67

22. Mai 1949, Roma.
Orchestra Accademia Santa Cecilia, Coro dell'Accademia Santa Cecilia.
G. Fr. Händel: Concerto Grosso, D-Dur op. 6, Nr. 5
L. van Beethoven: Sinfonie Nr. 9, d-Moll op. 125
Mirella Fleri, Luisa Ribacchi, Amedeo Berdini, Sesto Bruscantini

25. Mai 1949, Milano.
Orchestra del Teatro alla Scala di Milano.
L. Cherubini: Anacréon-Ouvertüre
Joh. Brahms: Sinfonie Nr. 2, D-Dur op. 73
P. Hindemith: Sinfonische Metamorphosen über Themen von Carl Maria von Weber
Rich. Strauss: Tod und Verklärung, op. 24

28. Mai 1949, Milano.
Coro e Orchestra del Teatro alla Scala di Milano.
L. van Beethoven: Sinfonie Nr. 9, d-Moll op. 125
Winifred Cecil, Giuletta Simionato, Giacinto Prandelli, Cesare Siepi

1. Juni 1949, Hamburg.
Berliner Philharmoniker.
H. Pfitzner: Palestrina-Vorspiele 1–3

W. A. Mozart: Sinfonie Nr. 40, g-Moll KV 550
Rich. Strauss: Till Eulenspiegels lustige Streiche, op. 28
Joh. Brahms: Sinfonie Nr. 4, e-Moll op. 98

2. Juni 1949, Hamburg.
Berliner Philharmoniker.
L. van Beethoven: Coriolan-Ouvertüre, op. 62
L. van Beethoven: Sinfonie Nr. 6, F-Dur op. 68
L. van Beethoven: Sinfonie Nr. 5, c-Moll op. 67

3. Juni 1949, Hildesheim.
Berliner Philharmoniker.
H. Pfitzner: Palestrina-Vorspiele 1–3
W. A. Mozart: Sinfonie Nr. 40, g-Moll KV 550
Rich. Strauss: Till Eulenspiegels lustige Streiche, op. 28
Joh. Brahms: Sinfonie Nr. 4, e-Moll op. 98

4. Juni 1949, Hannover.
Berliner Philharmoniker.
L. van Beethoven: Coriolan-Ouvertüre, op. 62
L. van Beethoven: Sinfonie Nr. 6, F-Dur op. 68
L. van Beethoven: Sinfonie Nr. 5, c-Moll op. 67

5. Juni 1949, Bielefeld.
Berliner Philharmoniker.
H. Pfitzner: Palestrina-Vorspiele 1–3
L. van Beethoven: Sinfonie Nr. 6, F-Dur op. 68
L. van Beethoven: Sinfonie Nr. 5, c-Moll op. 67

6. Juni 1949, Bad Pyrmont.
Berliner Philharmoniker.
H. Pfitzner: Palestrina-Vorspiele 1–3
W. A. Mozart: Sinfonie Nr. 40, g-Moll KV 550
Rich. Strauss: Till Eulenspiegels lustige Streiche, op. 28
Joh. Brahms: Sinfonie Nr. 4, e-Moll op. 98

7. Juni 1949, Viersen.
Berliner Philharmoniker.
H. Pfitzner: Palestrina-Vorspiele 1–3
L. van Beethoven: Sinfonie Nr. 6, F-Dur op. 68
L. van Beethoven: Sinfonie Nr. 5, c-Moll op. 67

8. Juni 1949, Wuppertal-Elberfeld.
Berliner Philharmoniker.
W. A. Mozart: Sinfonie Nr. 40, g-Moll KV 550
H. Pfitzner: Palestrina-Vorspiele 1–3
Rich. Strauss: Till Eulenspiegels lustige Streiche, op. 28
Joh. Brahms: Sinfonie Nr. 4, e-Moll op. 98

9. Juni 1949, Düsseldorf.
Berliner Philharmoniker.
L. van Beethoven: Coriolan-Ouvertüre, op. 62
L. van Beethoven: Sinfonie Nr. 6, F-Dur op. 68
Joh. Brahms: Sinfonie Nr. 4, e-Moll op. 98

10. Juni 1949, Wiesbaden.
Berliner Philharmoniker.
H. Pfitzner: Palestrina-Vorspiele 1–3
W. A. Mozart: Sinfonie Nr. 40, g-Moll KV 550
Rich. Strauss: Till Eulenspiegels lustige Streiche, op. 28
Joh. Brahms: Sinfonie Nr. 4, e-Moll op. 98

11. Juni 1949, Frankfurt am Main.
Vortrag in der Frankfurter Gesellschaft für Handel, Industrie und Wissenschaft: „Gegenwartsprobleme in der Musik"

12. Juni 1949, Frankfurt am Main.
Berliner Philharmoniker.
H. Pfitzner: Palestrina-Vorspiele 1–3
L. van Beethoven: Sinfonie Nr. 6, F-Dur op. 68
L. van Beethoven: Sinfonie Nr. 5, c-Moll op. 67

12. Juni 1949, Wiesbaden.
Berliner Philharmoniker.
L. van Beethoven: Coriolan-Ouvertüre, op. 62
L. van Beethoven: Sinfonie Nr. 6, F-Dur op. 68
L. van Beethoven: Sinfonie Nr. 5, c-Moll op. 67

13. Juni 1949, Heidelberg.
Berliner Philharmoniker.
H. Pfitzner: Palestrina-Vorspiele 1–3
W. A. Mozart: Sinfonie Nr. 40, g-Moll KV 550
Rich. Strauss: Till Eulenspiegels lustige Streiche, op. 28
Joh. Brahms: Sinfonie Nr. 4, e-Moll op. 98

14. Juni 1949, Baden-Baden.
Berliner Philharmoniker.
H. Pfitzner: Palestrina-Vorspiele 1–3
L. van Beethoven: Sinfonie Nr. 6, F-Dur op. 68
Joh. Brahms: Sinfonie Nr. 4, e-Moll op. 98

16., 17. und 18. Juni 1949, Berlin.
Berliner Philharmoniker.
H. Pfitzner: Palestrina-Vorspiele 1–3
L. van Beethoven: Sinfonie Nr. 6, F-Dur op. 68
L. van Beethoven: Sinfonie Nr. 5, c-Moll op. 67

19. Juni 1949, Berlin.
Berliner Philharmoniker.
W. A. Mozart: Sinfonie Nr. 40, g-Moll KV 550
Rich. Strauss: Till Eulenspiegels lustige Streiche, op. 28
L. van Beethoven: Sinfonie Nr. 5, c-Moll op. 67

27. Juli, 5., 11. und 20. August 1949, Salzburg. *)
Wiener Philharmoniker, Chor der Staatsoper Wien.
Regie: Oscar Fritz Schuh, Bühnenbild: Caspar Neher.
W. A. Mozart: Die Zauberflöte, KV 622
Sarastro — Josef Greindl
Tamino — Walter Ludwig
Sprecher — Paul Schöffler

*) Josef Kaut gibt an: 27. Juli, 5., 11. und 19. August 1949

1. Priester	Hermann Gallos
2. Priester	Karl Dönch
Königin der Nacht	Wilma Lipp
Pamina	Irmgard Seefried
1. Dame	Gertrud Grob-Prandl
2. Dame	Sieglinde Wagner
3. Dame	Elisabeth Höngen
Papageno	Karl Schmitt-Walter
Papagena	Edith Oravez
Monostatos	Peter Klein
1. Knabe	Elisabeth Rutgers
2. Knabe	Ruthilde Boesch
3. Knabe	Polly Batic
1. Geharnischter	Ernst Häfliger
	Lorenz Fehenberger (11. August)
2. Geharnischter	Hermann Uhde

30. Juli, 3., 8. und 19. August 1949, Salzburg. *)
Wiener Philharmoniker, Chor der Staatsoper Wien.
Regie: Günther Rennert, Bühnenbild: Emil Preetorius.
L. van Beethoven: Fidelio, op. 72

Don Fernando	Hans Braun
Don Pizarro	Paul Schöffler
Florestan	Julius Patzak
Leonore	Kirsten Flagstad
Rocco	Josef Greindl
Jacquino	Richard Holm
Marzelline	Irmgard Seefried
1. Gefangener	Hermann Gallos
2. Gefangener	Karl Dönch

*) Josef Kaut gibt an: 30. Juli, 3., 8., 16. und 20. August 1949
Die eingesetzten Daten entsprechen Frau Furtwänglers Aufzeichnungen.

7. August 1949, Salzburg.
Wiener Philharmoniker.
H. Pfitzner: Sinfonie in C-Dur, op. 46
A. Bruckner: Sinfonie Nr. 8, c-Moll (Originalfassung)

18. August 1949, Salzburg, Mozarteum.
Vortrag: „Schaffende und Nachschaffende, Komponist und Dirigent als Feinde"

24. August 1949, Luzern.
Luzerner Festspielorchester.
Joh. Brahms: Konzert für Violine, Violoncello und Orchester, a-Moll op. 102
Wolfgang Schneiderhan, Violine
Enrico Mainardi, Violoncello
Rich. Strauss: Till Eulenspiegels lustige Streiche, op. 28
P. I. Tschaikowsky: Sinfonie Nr. 4, f-Moll op. 36

27. und 28. August 1949, Luzern.
Luzerner Festspielorchester, Festwochenchor (Albert Jenny)
Jos. Haydn: Die Schöpfung
Irmgard Seefried, Sopran
Walter Ludwig, Tenor
Boris Christoff, Bass

9. September 1949, Besançon.
Paris Colonne Orchestre.
C. M. von Weber: Freischütz-Ouvertüre, op. 77
P. Hindemith: Konzert für Klavier und Orchester
Franz Josef Hirt, Klavier
Fr. Schubert: Sinfonie Nr. 9, C-Dur op. posth., D 944

25. und 26. September 1949, Wien.
Wiener Philharmoniker.
Rich. Strauss: Tod und Verklärung, op. 24
Rich. Wagner: Faust-Ouvertüre
Joh. Brahms: Variationen über ein Thema von Joseph Haydn, op. 56a
Joh. Brahms: Sinfonie Nr. 1, c-Moll op. 68

28. September 1949, London.
Wiener Philharmoniker, BBC Male Chorus.
Rich. Wagner: Faust-Ouvertüre
Fr. Schubert: Gesang der Geister über den Wassern, D 714
Joh. Brahms: Rhapsodie für Altsolo, Männerchor und Orchester, op. 53
Mary Jarred, Alt
L. van Beethoven: Egmont-Ouvertüre, f-Moll op. 84
L. van Beethoven: Sinfonie Nr. 7, A-Dur op. 92

29. September 1949, London.
Wiener Philharmoniker.
Rich. Strauss: Tod und Verklärung, op. 24
F. Mendelssohn-Bartholdy: Konzert für Violine und Orchester, e-Moll op. 64
Yehudi Menuhin, Violine
P. I. Tschaikowsky: Sinfonie Nr. 5, e-Moll op. 64

3. Oktober 1949, Oxford.
Wiener Philharmoniker.
L. van Beethoven: Coriolan-Ouvertüre, op. 62
Fr. Schubert: Sinfonie Nr. 8, h-Moll op. posth., D 759
H. Berlioz: Marche hongroise aus La damnation de Faust, op. 24
Joh. Strauss: Kaiserwalzer, op. 437

4. Oktober 1949, London.
Wiener Philharmoniker.
Joh. Brahms: Variationen über ein Thema von Joseph Haydn, op. 56a
Joh. Brahms: Konzert für Violine und Orchester, D-Dur op. 77
Yehudi Menuhin, Violine
Joh. Brahms: Sinfonie Nr. 1, c-Moll op. 68

5. Oktober 1949, London.
Wiener Philharmoniker, London Philharmonic Choir.
L. van Beethoven: Sinfonie Nr. 9, d-Moll op. 125
Hilde Zadek – Jean Watson – Julius Patzak – Hans Hotter.

8. Oktober 1949, Paris.
Wiener Philharmoniker.
Rich. Wagner: Faust-Ouvertüre
Rich. Strauss: Tod und Verklärung, op. 24
Joh. Brahms: Sinfonie Nr. 1, c-Moll op. 68
Zugabe: *Joh. Strauss:* Kaiserwalzer, op. 437

9. Oktober 1949, Paris.
Wiener Philharmoniker.
L. van Beethoven: Sinfonie Nr. 4, B-Dur op. 60
L. van Beethoven: Leonoren-Ouvertüre Nr. 3, C-Dur op. 72a
L. van Beethoven: Sinfonie Nr. 7, A-Dur op. 92

11. Oktober 1949, Genève.
Wiener Philharmoniker.
L. van Beethoven: Egmont-Ouvertüre, f-Moll op. 84
Rich. Strauss: Tod und Verklärung, op. 24
Joh. Brahms: Sinfonie Nr. 1, c-Moll op. 68

12. Oktober 1949, Zürich.
Wiener Philharmoniker.
L. van Beethoven: Sinfonie Nr. 4, B-Dur op. 60
L. van Beethoven: Leonoren-Ouvertüre Nr. 3, C-Dur op. 72a
L. van Beethoven: Sinfonie Nr. 7, A-Dur op. 92

16., 17. und 18. Oktober 1949, Berlin.
Berliner Philharmoniker.
L. van Beethoven: Leonoren-Ouvertüre Nr. 2, C-Dur op. 72
K. Höller: Konzert Nr. 2 für Violoncello und Orchester, d-Moll op. 50
Ludwig Hoelscher, Violoncello
A. Bruckner: Sinfonie Nr. 7, E-Dur (Originalfassung)

25. und 26. Oktober 1949, Basel.
Basler Orchester.
G. F. Händel: Concerto Grosso, d-Moll op. 6, Nr. 10
L. van Beethoven: Leonoren-Ouvertüre Nr. 2, C-Dur op. 72
A. Bruckner: Sinfonie Nr. 7, E-Dur (Originalfassung)

17. Dezember 1949, Potsdam.
Berliner Philharmoniker.
W. A. Mozart: Serenade Nr. 13, G-Dur KV 525
Rob. Schumann: Manfred-Ouvertüre, op. 115
Joh. Brahms: Sinfonie Nr. 3, F-Dur op. 90
Rich. Wagner: Die Meistersinger von Nürnberg: Vorspiel, Akt 1.

18., 19. und 20. Dezember 1949, Berlin.
Berliner Philharmoniker.
Rob. Schumann: Manfred-Ouvertüre, op. 115
Joh. Brahms: Sinfonie Nr. 3, F-Dur op. 90
W. Fortner: Konzert für Violine und Orchester
Gerhard Taschner, Violine
Rich. Wagner: Trauermusik aus Götterdämmerung
Rich. Wagner: Die Meistersinger von Nürnberg: Vorspiel, Akt 1

23. Dezember 1949, Leipzig.
Gewandhaus-Orchester.
L. van Beethoven: Sinfonie Nr. 4, B-Dur op. 60
L. van Beethoven: Leonoren-Ouvertüre Nr. 2, C-Dur op. 72
L. van Beethoven: Sinfonie Nr. 5, c-Moll op. 67

8. und 10. Januar 1950, München.
Münchner Philharmoniker.
G. Fr. Händel: Concerto Grosso, D-Dur op. 6, Nr. 5
W. Furtwängler: Sinfonie Nr. 2, e-Moll

15. und 16. Januar 1950, Wien.
Wiener Philharmoniker.
Rob. Schumann: Manfred-Ouvertüre, op. 115
E. W. Korngold: Sinfonische Serenade
L. van Beethoven: Sinfonie Nr. 7, A-Dur op. 92

28. und 29. Januar 1950, Wien.
Wiener Philharmoniker.
C. M. von Weber: Oberon-Ouvertüre
D. Schostakowitsch: Sinfonie Nr. 9, Es-Dur op. 70
P. I. Tschaikowsky: Sinfonie Nr. 4, f-Moll op. 36

2., 4. und 11. März 1950, Milano.
Coro e Orchestra del Teatro alla Scala di Milano.
Regie: Otto Erhardt, Bühnenbild: Nicola Benois.
Rich. Wagner: Das Rheingold

Wotan	Ferdinand Frantz
Donner	Angelo Mattiello
Froh	Günther Treptow
Loge	Joachim Sattler
Fasolt	Ludwig Weber
Fafner	Albert Emmerich
Alberich	Alois Pernerstorfer
Mime	Emil Markwort
Fricka	Elisabeth Höngen
Freia	Walburga Wegener
Erda	Margret Weth-Falke
Woglinde	Magda Gabory
Wellgunde	Margherita Kenney
Flosshilde	Sieglinde Wagner

9., 13. und 16. März 1950, Milano.
Orchestra del Teatro alla Scala di Milano.
Regie: Otto Erhardt, Bühnenbild: Nicola Benois.
Rich. Wagner: Die Walküre

Siegmund	Günther Treptow
Hunding	Ludwig Weber
Wotan	Ferdinand Frantz
Sieglinde	Hilde Konetzni
Brünnhilde	Kirsten Flagstad
Fricka	Elisabeth Höngen
Helmwige	Ilona Steingruber
Gerhilde	Walburga Wegener
Ortlinde	Karen Marie Crkall
Waltraute	Dagmar Schmedes
Siegrune	Margherita Kenney
Rossweisse	Margret Weth-Falke
Grimgerde	Sieglinde Wagner
Schwertleite	Polly Batic

22., 24. und 26. März 1950, Milano.
Orchestra del Teatro alla Scala di Milano.
Regie: Otto Erhardt, Bühnenbild: Nicola Benois
Rich. Wagner: Siegfried

Siegfried	Set Svanholm
Mime	Emil Markwort
Wanderer	Josef Herrmann
Alberich	Alois Pernerstorfer
Fafner	Ludwig Weber
Erda	Elisabeth Höngen
Brünnhilde	Kirsten Flagstad
Waldvogel	Julia Moor

2., 4. und 6. April 1950, Milano.
Coro e Orchestra del Teatro alla Scala di Milano.
Regie: Otto Erhardt, Bühnenbild: Nicola Benois.
Rich. Wagner: Götterdämmerung

Siegfried	Max Lorenz
Gunther	Josef Herrmann
Hagen	Ludwig Weber
Brünnhilde	Kirsten Flagstad
Gutrune	Hilde Konetzni
Waltraute	Elisabeth Höngen
Alberich	Alois Pernerstorfer
1. Norne	Margret Weth-Falke
2. Norne	Margherita Kenney
3. Norne	Hilde Konetzni
Woglinde	Magda Gabory
Wellgunde	Margherita Kenney
Flosshilde	Sieglinde Wagner

14. April 1950, Buenos Aires.
Orquesta del Teatro Colon.
Jos. Haydn: Sinfonie Nr. 104, D-Dur
Cl. Debussy: Deux Nocturnes, „Nuages" und „Fêtes"
Rich. Strauss: Till Eulenspiegels lustige Streiche, op. 28
L. van Beethoven: Sinfonie Nr. 7, A-Dur op. 92

20. April 1950, Buenos Aires.
Orquesta del Teatro Colon.
F. M. Ugarte: Preludio
Rich. Strauss: Also sprach Zarathustra, op. 30
Joh. Brahms: Sinfonie Nr. 4, e-Moll op. 98

23. April 1950, Buenos Aires.
Orquesta del Teatro Colon.
G. Fr. Händel: Concerto Grosso, d-Moll op. 6, Nr. 10
B. Bartók: Konzert für Orchester
P. I. Tschaikowsky: Sinfonie Nr. 4, f-Moll op. 36

29. April, 2., 6. und 7. Mai 1950, Buenos Aires.
Orquesta, Coro Estable und Coro de Niños del Teatro Colon.
Joh. Seb. Bach: Matthäuspassion, BWV 244
Nilda Hoffmann, Sopran
Margarete Klose, Alt
Anton Dermota, Evangelist/Tenor
Angelo Mattiello, Jesus
Josef Greindl, Bass
Carlos Feller, Pilato/Petrus
Victor Bacciato, Judas/Kaiphas
Maria del C. Ecignard, Pilatos Frau/Magd des Kaiphas

5. Mai 1950, Buenos Aires.
Orquesta del Teatro Colon.
J. M. Castro: Obertura para una opera comica
Fr. Schubert: Rosamunde: Zwischenaktsmusik, D 797
G. Mahler: Lieder eines fahrenden Gesellen
Margarete Klose, Alt
L. van Beethoven: Sinfonie Nr. 3, Es-Dur op. 55

10. Mai 1950, Buenos Aires.
Orquesta del Teatro Colon.
L. van Beethoven: Die Geschöpfe des Prometheus, op. 43: Ouvertüre
Joh. Brahms: Sinfonie Nr. 4, e-Moll op. 98

Rich. Wagner: Parsifal: Vorspiel, Akt 1
Rich. Wagner: Siegfrieds Rheinfahrt aus Götterdämmerung
Rich. Wagner: Tristan und Isolde: Vorspiel und Liebestod
Zugabe: *Rich. Wagner:* Die Meistersinger von Nürnberg: Vorspiel, Akt 1

14. Mai 1950, Buenos Aires.
Orquesta Sinfonica de Buenos Aires.
Joh. Seb. Bach: Brandenburgisches Konzert Nr. 5, D-Dur BWV 1050
Wilhelm Furtwängler, Klavier – Luis A Caracciolo, Violine – Gerado Levy, Flöte
L. van Beethoven: Sinfonie Nr. 6, F-Dur op. 68
L. van Beethoven: Sinfonie Nr. 5, c-Moll op. 67

22. Mai 1950, London.
Philharmonia Orchestra.
Rich. Wagner: Die Meistersinger von Nürnberg: Vorspiel, Akt 1
Rich. Wagner: Siegfried-Idyll
Rich. Strauss: Vier letzte Lieder (Uraufführung)
Kirsten Flagstad, Sopran
Rich. Wagner: Tristan und Isolde: Vorspiel und Liebestod
Rich. Wagner: Siegfrieds Rheinfahrt aus Götterdämmerung
Rich. Wagner: Schlußgesang aus Götterdämmerung
Kirsten Flagstad, Sopran

24. Mai 1950, Wiesbaden.
Berliner Philharmoniker.
Joh. Brahms: Variationen über ein Thema von Joseph Haydn, op. 56a
L. van Beethoven: Leonoren-Ouvertüre Nr. 2, C-Dur op. 72
A. Bruckner: Sinfonie Nr. 7, E-Dur (Originalfassung)

25. Mai 1950, Frankfurt am Main.
Berliner Philharmoniker.
G. Fr. Händel: Concerto Grosso, d-Moll op. 6, Nr. 10
L. van Beethoven: Leonoren-Ouvertüre Nr. 2, C-Dur op. 72
Fr. Schubert: Sinfonie Nr. 9, C-Dur op. posth., D 944

26. Mai 1950, München.
Berliner Philharmoniker.
L. van Beethoven: Sinfonie Nr. 1, C-Dur op. 21
L. van Beethoven: Leonoren-Ouvertüre Nr. 2, C-Dur op. 72
A. Bruckner: Sinfonie Nr. 7, E-Dur (Originalfassung)

27. Mai 1950, Stuttgart.
Berliner Philharmoniker.
L. van Beethoven: Sinfonie Nr. 1, C-Dur op. 21
L. van Beethoven: Leonoren-Ouvertüre Nr. 3, C-Dur op. 72a
L. van Beethoven: Sinfonie Nr. 3, Es-Dur op. 55

28. Mai 1950, Montreux.
Berliner Philharmoniker.
L. van Beethoven: Sinfonie Nr. 1, C-Dur op. 21
Rich. Strauss: Till Eulenspiegels lustige Streiche, op. 28
Fr. Schubert: Sinfonie Nr. 9, C-Dur op. posth., D 944

29. Mai 1950, Lausanne.
Berliner Philharmoniker.
G. Fr. Händel: Concerto Grosso, d-Moll op. 6, Nr. 10
Joh. Brahms: Variationen über ein Thema von Joseph Haydn, op. 56a
L. van Beethoven: Sinfonie Nr. 3, Es-Dur op. 55

30. Mai 1950, Genève.
Berliner Philharmoniker.
G. Fr. Händel: Concerto Grosso, d-Moll op. 6, Nr. 10
L. van Beethoven: Sinfonie Nr. 1, C-Dur op. 21
L. van Beethoven: Leonoren-Ouvertüre Nr. 3, C-Dur op. 72a
P. Hindemith: Konzert für Orchester
Rich. Wagner: Tristan und Isolde: Vorspiel und Liebestod
Zugabe: *Rich. Wagner:* Die Meistersinger von Nürnberg: Vorspiel, Akt 1

31. Mai 1950, Bern.
Berliner Philharmoniker.
Joh. Brahms: Variationen über ein Thema von Joseph Haydn, op. 56a
L. van Beethoven: Leonoren-Ouvertüre Nr. 2, C-Dur op. 72
A. Bruckner: Sinfonie Nr. 7, E-Dur (Originalfassung)

1. Juni 1950, Basel.
Berliner Philharmoniker.
L. van Beethoven: Sinfonie Nr. 1, C-Dur op. 21
L. van Beethoven: Leonoren-Ouvertüre Nr. 3, C-Dur op. 72a
L. van Beethoven: Sinfonie Nr. 3, Es-Dur op. 55

3. Juni 1950, Paris.
Berliner Philharmoniker.
G. Fr. Händel: Concerto Grosso, d-Moll op. 6, Nr. 10
Joh. Brahms: Variationen über ein Thema von Joseph Haydn, op. 56a
Rich. Strauss: Till Eulenspiegels lustige Streiche, op. 28
Fr. Schubert: Sinfonie Nr. 9, C-Dur op. posth., D 944
Zugabe: *Rich. Wagner:* Tannhäuser-Ouvertüre

4. Juni 1950, Paris.
Berliner Philharmoniker.
L. van Beethoven: Sinfonie Nr. 1, C-Dur op. 21
L. van Beethoven: Leonoren-Ouvertüre Nr. 2, C-Dur, op. 72
L. van Beethoven: Sinfonie Nr. 3, Es-Dur op. 55
Zugabe: *Rich. Wagner:* Tristan und Isolde: Vorspiel, Akt 1

6. Juni 1950, Köln.
Berliner Philharmoniker.
L. van Beethoven: Sinfonie Nr. 1, C-Dur op. 21
L. van Beethoven: Leonoren-Ouvertüre Nr. 3, C-Dur op. 72a
A. Bruckner: Sinfonie Nr. 7, E-Dur (Originalfassung)

7. Juni 1950, Viersen.
Berliner Philharmoniker.
Joh. Brahms: Variationen über ein Thema von Joseph Haydn, op. 56a
Rich. Strauss: Till Eulenspiegels lustige Streiche, op. 28
Fr. Schubert: Sinfonie Nr. 9, C-Dur op. posth., D 944

8. Juni 1950, Düsseldorf.
Berliner Philharmoniker.
L. van Beethoven: Sinfonie Nr. 1, C-Dur op. 21
L. van Beethoven: Leonoren-Ouvertüre Nr. 3, C-Dur op. 72a
L. van Beethoven: Sinfonie Nr. 3, Es-Dur op. 55

9. Juni 1950, Bielefeld.
Berliner Philharmoniker.
G. Fr. Händel: Concerto Grosso, D-Dur op. 6, Nr. 5
L. van Beethoven: Leonoren-Ouvertüre Nr. 3, C-Dur op. 72a
Fr. Schubert: Sinfonie Nr. 9, C-Dur, op. posth., D 944

10. Juni 1950, Münster.
Berliner Philharmoniker.
G. Fr. Händel: Concerto Grosso, d-Moll op. 6, Nr. 10
Joh. Brahms: Variationen über ein Thema von Joseph Haydn, op. 56a
A. Bruckner: Sinfonie Nr. 7, E-Dur (Originalfassung)

11. Juni 1950, Bremen.
Berliner Philharmoniker.
L. van Beethoven: Sinfonie Nr. 1, C-Dur op. 21
L. van Beethoven: Leonoren-Ouvertüre Nr. 3, C-Dur op. 72a
A. Bruckner: Sinfonie Nr. 7, E-Dur (Originalfassung)

12. Juni 1950, Hamburg.
Berliner Philharmoniker.
G. Fr. Händel: Concerto Grosso, d-Moll op. 6, Nr. 10
P. Hindemith: Konzert für Orchester
Rich. Strauss: Don Juan, op. 20
L. van Beethoven: Sinfonie Nr. 3, Es-Dur op. 55

13. Juni 1950, Hamburg.
Berliner Philharmoniker.
L. van Beethoven: Sinfonie Nr. 1, C-Dur op. 21
Joh. Brahms: Variationen über ein Thema von Joseph Haydn, op. 56a
A. Bruckner: Sinfonie Nr. 7, E-Dur (Originalfassung)

15. Juni 1950, Hannover.
Berliner Philharmoniker.
L. van Beethoven: Sinfonie Nr. 1, C-Dur op. 21
L. van Beethoven: Leonoren-Ouvertüre Nr. 2, C-Dur op. 72
Fr. Schubert: Sinfonie Nr. 9, C-Dur op. posth., D 944

17., 18. und 19. Juni 1950, Berlin.
Berliner Philharmoniker.
L. van Beethoven: Sinfonie Nr. 1, C-Dur op. 21
Rich. Strauss: Till Eulenspiegels lustige Streiche, op. 28
Fr. Schubert: Sinfonie Nr. 9, C-Dur op. posth., D 944

20. Juni 1950, Berlin.
Berliner Philharmoniker.
G. Fr. Händel: Concerto Grosso, d-Moll op. 6, Nr. 10
Joh. Brahms: Variationen über ein Thema von Joseph Haydn, op. 56a
P. Hindemith: Konzert für Orchester
L. van Beethoven: Sinfonie Nr. 3, Es-Dur op. 55

13. Juli 1950, Amsterdam.
Amsterdam Concertgebouworkest.
L. van Beethoven: Sinfonie Nr. 1, C-Dur op. 21
L. van Beethoven: Leonoren-Ouvertüre Nr. 3, C-Dur op. 72a
Joh. Brahms: Sinfonie Nr. 1, c-Moll op. 68

14. Juli 1950, Scheveningen.
Amsterdam Concertgebouworkest.
L. van Beethoven: Sinfonie Nr. 1, C-Dur op. 21
L. van Beethoven: Leonoren-Ouvertüre Nr. 3, C-Dur op. 72a
Joh. Brahms: Sinfonie Nr. 1, c-Moll op. 68

27., 31. Juli, 4., 18. und 29. August 1950, Salzburg.
Wiener Philharmoniker, Chor der Staatsoper Wien.
Regie: Oscar Fritz Schuh, Bühnenbild: Clemens Holzmeister.
W. A. Mozart: Don Giovanni, KV 527.

l'Commentatore	Josef Greindl
Don Giovanni	Tito Gobbi
Don Ottavio	Anton Dermota
Donna Anna	Ljuba Welitsch
	Annelies Kupper (29. August)
Donna Elvira	Elisabeth Schwarzkopf
	Esther Réthy (29. August)
Leporello	Erich Kunz
Masetto	Alfred Poell
Zerlina	Irmgard Seefried

29. Juli, 3., 16. und 21. August 1950, Salzburg.
Wiener Philharmoniker, Chor der Staatsoper Wien.
Regie: Oscar Fritz Schuh, Bühnenbild: Caspar Neher.
W. A. Mozart: Die Zauberflöte, KV 622

Sarastro	Josef Greindl
Tamino	Walter Ludwig
Sprecher	Paul Schöffler
1. Priester	Fred Liewehr
2. Priester	Franz Höbling
Königin der Nacht	Wilma Lipp
Pamina	Irmgard Seefried
1. Dame	Annelies Kupper
	Lisa della Casa (29. Juli)
2. Dame	Sieglinde Wagner
3. Dame	Elisabeth Höngen
Papageno	Erich Kunz
Papagena	Hedda Heusser
Monostatos	Peter Klein
1. Knabe	Hannelore Steffek
2. Knabe	Charlotte Müller
3. Knabe	Friedl Meusburger
1. Geharnischter	Richard Holm
2. Geharnischter	Hermann Uhde

5., 11., 17. und 22. August 1950, Salzburg. *)
Wiener Philharmoniker, Chor der Staatsoper Wien.

*) Josef Kaut gibt 5., 11., 14., 17. und 22. August 1950 an. Die eingesetzten Daten entsprechen Frau Furtwänglers Aufzeichnungen.

Regie: Günther Rennert, Bühnenbild: Emil Preetorius.

L. van Beethoven: Fidelio, op. 72

Don Fernando	Hans Braun
Don Pizarro	Paul Schöffler
Florestan	Julius Patzak
Leonore	Kirsten Flagstad
Rocco	Josef Greindl
Jacquino	Anton Dermota
Marzelline	Elisabeth Schwarzkopf
1. Gefangener	Hermann Gallos
2. Gefangener	Ljubomir Pantscheff

9. August 1950, Luzern.
Luzerner Festspielorchester.
Chr. W. von Gluck: Alceste-Ouvertüre
Joh. Brahms: Variationen über ein Thema von Joseph Haydn, op. 56a
P. Hindemith: Der Schwanendreher, op. 46 - Konzert für Bratsche und kleines Orchester
William Primrose, Bratsche
L. van Beethoven: Sinfonie Nr. 5, c-Moll op. 67

15. August 1950, Salzburg.
Wiener Philharmoniker.
I. Stravinsky: Sinfonie in 3 Sätzen
Rich. Strauss: Till Eulenspiegels lustige Streiche, op. 28
Joh. Brahms: Sinfonie Nr. 4, e-Moll op. 98

26. und 27. August 1950, Luzern.
Luzerner Festspielorchester, Festwochenchor (Albert Jenny)
H. Berlioz: La damnation de Faust, op. 24
Elisabeth Schwarzkopf, Sopran – Franz Vroons, Tenor – Alois Pernerstorfer, Bass-Bariton – Hans Hotter, Bass

31. August 1950, Salzburg.
Wiener Philharmoniker.
Joh. Seb. Bach: Brandenburgisches Konzert Nr. 3, G-Dur BWV 1048
Joh. Seb. Bach: Brandenburgisches Konzert Nr. 5, D-Dur BWV 1050
Wilhelm Furtwängler, Klavier
Willi Boskovsky, Violine
Josef Niedermayer, Flöte
L. van Beethoven: Sinfonie Nr. 3, Es-Dur op. 55

23. September 1950, Wien.
Wiener Philharmoniker.
Joh. Seb. Bach: Brandenburgisches Konzert Nr. 3, G-Dur BWV 1048
Cl. Debussy: La mer
Joh. Brahms: Sinfonie Nr. 2, D-Dur op. 73

25. September 1950, Stockholm.
Wiener Philharmoniker.
Jos. Haydn: Sinfonie Nr. 94, G-Dur
J. Sibelius: En Saga, op. 9
Rich. Strauss: Don Juan, op. 28
L. van Beethoven: Sinfonie Nr. 5, c-Moll op. 67

26. September 1950, Stockholm.
Wiener Philharmoniker.
Joh. Seb. Bach: Brandenburgisches Konzert Nr. 3, G-Dur BWV 1048
A. Uhl: Nr. 3 aus 4 Kapricen
Cl. Debussy: La mer
P. I. Tschaikowsky: Sinfonie Nr. 5, e-Moll op. 64
Zugabe: *Joh. Strauss:* Kaiserwalzer, op. 437

27. September 1950, Helsinki.
Wiener Philharmoniker.
Joh. Seb. Bach: Brandenburgisches Konzert Nr. 3, G-Dur BWV 1048
J. Sibelius: En Saga, op. 9
Rich. Strauss: Till Eulenspiegels lustige Streiche, op. 28
L. van Beethoven: Sinfonie Nr. 5, c-Moll op. 67

28. September 1950, Helsinki.
Wiener Philharmoniker.
W. A. Mozart: Serenade Nr. 10, B-Dur KV 361
A. Uhl: Nr. 1 aus 4 Kapricen
Fr. Schubert: Sinfonie Nr. 8, h-Moll op. posth., D 759
Joh. Brahms: Sinfonie Nr. 2, D-Dur op. 73

29. September 1950, Helsinki.
Wiener Philharmoniker.
Jos. Haydn: Sinfonie Nr. 94, G-Dur
Cl. Debussy: La mer
P. I. Tschaikowsky: Sinfonie Nr. 5, e-Moll op. 64
Zugabe: *Joh. Strauss:* Kaiserwalzer, op. 437

1. Oktober 1950, København.
Wiener Philharmoniker.
L. Cherubini: Anacréon-Ouvertüre
Fr. Schubert: Sinfonie Nr. 8, h-Moll op. posth., D 759
Rich. Strauss: Till Eulenspiegels lustige Streiche, op. 28
L. van Beethoven: Sinfonie Nr. 5, c-Moll op. 67

2. Oktober 1950, København.
Wiener Philharmoniker.
Jos. Haydn: Sinfonie Nr. 94, G-Dur
Cl. Debussy: La mer.
Joh. Brahms: Sinfonie Nr. 2, D-Dur op. 73
Zugabe: *Joh. Strauss:* Kaiserwalzer, op. 437

4. Oktober 1950, Hamburg.
Wiener Philharmoniker.
L. Cherubini: Anacréon-Ouvertüre
A. Uhl: Nr. 1 aus 4 Kapricen
Fr. Schubert: Sinfonie Nr. 8, h-Moll op. posth. D 759
P. I. Tschaikowsky: Sinfonie Nr. 5, e-Moll op. 64

5. Oktober 1950, Hamburg.
Wiener Philharmoniker.
W. A. Mozart: Serenade Nr. 10, B-Dur KV 361
Cl. Debussy: La mer
L. van Beethoven: Sinfonie Nr. 5, c-Moll op. 67

6. Oktober 1950, Hannover.
Wiener Philharmoniker.
L. Cherubini: Anacréon-Ouvertüre
Fr. Schubert: Sinfonie Nr. 8, h-Moll op. posth., D 759
Rich. Strauss: Till Eulenspiegels lustige Streiche, op. 28
Joh. Brahms: Sinfonie Nr. 2, D-Dur op. 73

8. Oktober 1950, Amsterdam.
Wiener Philharmoniker.
W. A. Mozart: Serenade Nr. 10, B-Dur KV 361
Fr. Schubert: Sinfonie Nr. 8, h-Moll op. posth., D 759

Rich. Strauss: Till Eulenspiegels lustige Streiche, op. 28
L. van Beethoven: Sinfonie Nr. 5, c-Moll op. 67

9. Oktober 1950, Den Haag.
Wiener Philharmoniker.
Jos. Haydn: Sinfonie Nr. 94, G-Dur
Cl. Debussy: La mer
Joh. Brahms: Sinfonie Nr. 2, D-Dur op. 73

11. Oktober 1950, Münster.
Wiener Philharmoniker.
Jos. Haydn: Sinfonie Nr. 94, G-Dur
Fr. Schubert: Sinfonie Nr. 8, h-Moll op. posth., D 759
L. van Beethoven: Sinfonie Nr. 5, c-Moll op. 67

12. Oktober 1950, Wuppertal-Elberfeld.
Wiener Philharmoniker.
L. Cherubini: Anacréon-Ouvertüre
A. Uhl: Nr. 1 aus 4 Kapricen.
Fr. Schubert: Sinfonie Nr. 8, h-Moll op. posth., D 759
Joh. Brahms: Sinfonie Nr. 2, D-Dur op. 73

13. Oktober 1950, Düsseldorf.
Wiener Philharmoniker.
Rich. Strauss: Don Juan, op. 20
A. Uhl: Nr. 1 aus 4 Kapricen.
Fr. Schubert: Sinfonie Nr. 8, h-Moll op. posth., D 759
L. van Beethoven: Sinfonie Nr. 5, c-Moll op. 67

14. Oktober 1950, Wiesbaden.
Jos. Haydn: Sinfonie Nr. 94, G-Dur
Fr. Schubert: Sinfonie Nr. 8, h-Moll op. posth., D 759
L. van Beethoven: Sinfonie Nr. 5, c-Moll op. 67

15. Oktober 1950, Frankfurt am Main.
Wiener Philharmoniker.
W. A. Mozart: Serenade Nr. 10, B-Dur KV 361
Cl. Debussy: La mer
P. I. Tschaikowsky: Sinfonie Nr. 5, e-Moll op. 64

16. Oktober 1950, Heidelberg.
Wiener Philharmoniker.
W. A. Mozart: Serenade Nr. 10, B-Dur KV 361
Fr. Schubert: Sinfonie Nr. 8, h-Moll op. posth., D 759
L. van Beethoven: Konzert für Violine und Orchester, D-Dur op. 61
Willi Boskovsky, Violine
Rich. Strauss: Till Eulenspiegels lustige Streiche, op. 28

18. Oktober 1950, Stuttgart.
Wiener Philharmoniker.
L. Cherubini: Anacréon-Ouvertüre
Fr. Schubert: Sinfonie Nr. 8, h-Moll op. posth., D 759
Rich. Strauss: Till Eulenspiegels lustige Streiche, op. 28
Joh. Brahms: Sinfonie Nr. 2, D-Dur op. 73

19. Oktober 1950, München.
Wiener Philharmoniker.
W. A. Mozart: Serenade Nr. 10, B-Dur KV 361

Fr. Schubert: Sinfonie Nr. 8, h-Moll op. posth., D 759
Rich. Strauss: Don Juan, op. 20
L. van Beethoven: Sinfonie Nr. 5, c-Moll op. 67

21. Oktober 1950, Genève.
Wiener Philharmoniker.
Joh. Seb. Bach: Brandenburgisches Konzert Nr. 3, G-Dur BWV 1048
Fr. Schubert: Sinfonie Nr. 8, h-Moll op. posth., D 759
Joh. Brahms: Sinfonie Nr. 2, D-Dur op. 73

22. Oktober 1950, Bern.
Wiener Philharmoniker.
Jos. Haydn: Sinfonie Nr. 94, G-Dur
Cl. Debussy: La mer
L. van Beethoven: Sinfonie Nr. 5, c-Moll op. 67

29. und 30. Oktober 1950, Berlin.
Berliner Philharmoniker.
C. M. von Weber: Freischütz-Ouvertüre, op. 77
B. Bartók: Konzert für Orchester
Joh. Brahms: Sinfonie Nr. 1, c-Moll op. 68

5. November 1950, Roma.
Orchestra Accademia Santa Cecilia.
I. Stravinsky: Sinfonie in 3 Sätzen
L. van Beethoven: Leonoren-Ouvertüre Nr. 3, C-Dur op. 72a
L. van Beethoven: Sinfonie Nr. 3, Es-Dur op. 55

8. und 9. November 1950, Milano.
Orchestra del Teatro alla Scala di Milano.
L. van Beethoven: Leonoren-Ouvertüre Nr. 2, C-Dur op. 72
L. van Beethoven: Sinfonie Nr. 4, B-Dur op. 60
L. van Beethoven: Sinfonie Nr. 5, c-Moll op. 67

13. November 1950, London.
Philharmonia Orchestra.
W. Walton: Scapino-Overture
Joh. Brahms: Variationen über ein Thema von Joseph Haydn, op. 56a
Rich. Strauss: Don Juan, op. 20
L. van Beethoven: Sinfonie Nr. 5, c-Moll op. 67

11. Dezember 1950, London.
Philharmonia Orchestra.
F. Mendelssohn-Bartholdy: Die Hebriden, op. 26
Fr. Schubert: Rosamunde: Zwischenaktmusik Nr. 1 und 3, D 797
B. Bartók: Konzert für Orchester
P. I. Tschaikowsky: Sinfonie Nr. 5, e-Moll op. 64

17. Dezember 1950, Berlin.
Chor und Orchester der Städtischen Oper (Deutsche Oper).
Regie: Heinz Tietjen, Bühnenbild: Emil Preetorius.
Rich. Wagner: Tristan und Isolde

Tristan	Ludwig Suthaus
König Marke	Josef Greindl
Isolde	Paula Buchner
Kurwenal	Josef Metternich
Brangäne	Johanna Blatter
Melot	Robert Koffmane
Hirt	Erich Zimmermann

Steuermann	Edwin Heyer
Seemann	Sebastian Hauser

20., 21. und 22. Dezember 1950, Berlin.
Berliner Philharmoniker, Chor der St. Hedwigs-Kathedrale (Karl Forster)

L. van Beethoven: Sinfonie Nr. 9, d-Moll op. 125
Elfride Trötschel – Margarete Klose – Rudolf Schock – Josef Greindl

6., 7., 8. und 10. Januar 1951, Wien.
Wiener Philharmoniker, Wiener Singakademie.
L. van Beethoven: Sinfonie Nr. 9, d-Moll op. 125
Irmgard Seefried — Rosette Anday — Julius Patzak — Otto Edelmann

24. und 25. Januar 1951, Wien.
Wiener Symphoniker, Wiener Singakademie.
Joh. Brahms: Ein deutsches Requiem, op. 45
Irmgard Seefried, Sopran
Dietrich Fischer-Dieskau, Bariton

29. und 31. Januar 1951, Basel.
Basler Orchester.
Jos. Haydn: Sinfonie Nr. 101, D-Dur
Cl. Debussy: Deux Nocturnes, „Nuages" und „Fêtes"
P. I. Tschaikowsky: Sinfonie Nr. 5, e-Moll op. 64

22. Februar 1951, London.
Philharmonia Orchestra.
C. M. von Weber: Freischütz-Ouvertüre, op. 77
A. Bruckner: Sinfonie Nr. 7, E-Dur (Originalfassung)
L. van Beethoven: Konzert Nr. 5 für Klavier und Orchester, Es-Dur op. 73
Edwin Fischer, Klavier

25. und 26. Februar 1951, Berlin.
Berliner Philharmoniker.
F. Mendelssohn-Bartholdy: Die Hebriden, op. 26
M. Trapp: Sinfonie Nr. 6, op. 45 (Uraufführung)
P. I. Tschaikowsky: Sinfonie Nr. 6, h-Moll op. 74

27. Februar 1951, Berlin.
Berliner Philharmoniker.
F. Mendelssohn-Bartholdy: Die Hebriden, op. 26
P. I. Tschaikowsky: Sinfonie Nr. 6, h-Moll op. 74

5. und 6. März 1951, Zürich.
Tonhalle-Orchester.
L. van Beethoven: Coriolan-Ouvertüre, op. 62
L. van Beethoven: Sinfonie Nr. 6, F-Dur op. 68
Joh. Brahms: Sinfonie Nr. 1, c-Moll op. 68

9. März 1951, London.
Philharmonia Orchestra.
Rich. Wagner: Der fliegende Holländer: Ouvertüre
Rich. Wagner: Parsifal: Karfreitagszauber
Rich. Wagner: Die Walküre: Akt 1

Siegmund	Günther Treptow
Sieglinde	Hilde Konetzni
Hunding	Josef Greindl

24., 27., 29. März, 1. und 4. April 1951, Milano.
Coro e Orchestra del Teatro alla Scala di Milano.
Regie: Otto Erhardt, Bühnenbild: Nicola Benois.
Rich. Wagner: Parsifal

Amfortas	Otto Edelmann
Titurel	Silvio Maionica
Gurnemanz	Josef Greindl

Parsifal	Hans Beirer
Klingsor	Alois Pernerstorfer
Kundry	Martha Mödl
1. Gralsritter	Erminio Benatti
2. Gralsritter	Eralda Coda
Blumenmädchen	
1. Gruppe:	Hilde Güden Magda Gabory Dagmar Hermann
2. Gruppe:	Julia Moor Gjurgja Leppée Sieglinde Wagner
Knappen:	Mafaldi Masini Bruna Ronchini-Senni Gino del Signore Mario Carlin

7., 11., 13. und 15. April 1951, Milano.
Coro e Orchestra del Teatro alla Scala di Milano.
Regie: Carl Ebert, Bühnenbild: Emil Preetorius.
Chr. W. von Gluck: Orfeo ed Eurydice

Orfeo	Fedora Barbieri
Eurydice	Hilde Güden
Amor	Magda Gabory

18. April 1951, Cairo.
Berliner Philharmoniker.
Jos. Haydn: Sinfonie Nr. 101, D-Dur
Rich. Strauss: Tod und Verklärung, op. 24
L. van Beethoven: Sinfonie Nr. 7, A-Dur op. 92

19. April 1951, Cairo.
Berliner Philharmoniker.
J. Ph. Rameau: La princesse de Navarra: Ouvertüre
Cl. Debussy: Deux Nocturnes, „Nuages" und „Fêtes"
H. Berlioz: Marche hongroise aus La damnation de Faust, op. 24
P. I. Tschaikowsky: Sinfonie Nr. 6, h-Moll op. 74

20. April 1951, Cairo.
Berliner Philharmoniker.
C. M. von Weber: Freischütz-Ouvertüre, op. 77
Joh. Brahms: Sinfonie Nr. 3, F-Dur op. 90
P. Hindemith: Konzert für Orchester
Rich. Wagner: Tannhäuser-Ouvertüre

21. April 1951, Cairo.
Berliner Philharmoniker.
W. A. Mozart: Sinfonie Nr. 40, g-Moll KV 550
L. van Beethoven: Leonoren-Ouvertüre Nr. 3, C-Dur op. 72a
L. van Beethoven: Sinfonie Nr. 5, c-Moll op. 67

22. April 1951, Cairo.
Berliner Philharmoniker.
C. M. von Weber: Freischütz-Ouvertüre, op. 77
Rob. Schumann: Konzert für Klavier und Orchester, a-Moll op. 54
Magda Tagliaferro, Klavier
P. I. Tschaikowsky: Sinfonie Nr. 6, h-Moll op. 74

22. April 1951, Cairo.
Berliner Philharmoniker.
W. A. Mozart: Sinfonie Nr. 40, g-Moll KV 550

L. van Beethoven: Leonoren-Ouvertüre Nr. 3, C-Dur op. 72a
L. van Beethoven: Sinfonie Nr. 5, c-Moll op. 67

23. April 1951, Cairo.
Berliner Philharmoniker.
A. Bruckner: Sinfonie Nr. 7, E-Dur (Originalfassung)
F. Mendelssohn-Bartholdy: Konzert für Violine und Orchester, e-Moll op. 64
Siegfried von Borries, Violine
Rich. Wagner: Tannhäuser-Ouvertüre

24. April 1951, Alexandria.
Berliner Philharmoniker.
Jos. Haydn: Sinfonie Nr. 101, D-Dur
Rich. Strauss: Tod und Verklärung, op. 24
L. van Beethoven: Sinfonie Nr. 7, A-Dur op. 92

25. April 1951, Alexandria.
Berliner Philharmoniker.
Joh. Brahms: Sinfonie Nr. 3, F-Dur op. 90
Cl. Debussy: Deux Nocturnes, „Nuages" und „Fêtes"
Rich. Wagner: Die Meistersinger von Nürnberg: Vorspiel, Akt 1

25. April 1951, Alexandria.
Berliner Philharmoniker.
Joh. Brahms: Sinfonie Nr. 3, F-Dur op. 90
Cl. Debussy: Deux Nocturnes, „Nuages" und „Fêtes"
Rich. Wagner: Karfreitagszauber aus Parsifal
Rich. Wagner: Siegfrieds Rheinfahrt aus Götterdämmerung
Rich. Wagner: Tannhäuser-Ouvertüre
H. Berlioz: Marche hongroise aus La damnation de Faust, op. 24

30. April 1951, Napoli.
Berliner Philharmoniker.
W. A. Mozart: Sinfonie Nr. 40, g-Moll KV 550
Joh. Brahms: Sinfonie Nr. 3, F-Dur op. 90
Cl. Debussy: Deux Nocturnes, „Nuages" und „Fêtes"
Rich. Strauss: Don Juan, op. 20
Rich. Wagner: Tannhäuser-Ouvertüre

1. Mai 1951, Roma.
Berliner Philharmoniker.
A. Bruckner: Sinfonie Nr. 7, E-Dur (Originalfassung)
Cl. Debussy: Deux Nocturnes, „Nuages" und „Fêtes"
Rich. Strauss: Don Juan, op. 20
Rich. Wagner: Tannhäuser-Ouvertüre

2. Mai 1951, Bologna.
Berliner Philharmoniker.
Jos. Haydn: Sinfonie Nr. 101, D-Dur
Joh. Brahms: Sinfonie Nr. 3, F-Dur op. 90
L. van Beethoven: Sinfonie Nr. 5, c-Moll op. 67
Zugabe: *Rich. Wagner:* Tannhäuser-Ouvertüre

3. Mai 1951, Torino.
Berliner Philharmoniker.
C. M. von Weber: Freischütz-Ouvertüre, op. 77

Cl. Debussy: Deux Nocturnes, „Nuages“ und „Fêtes“
Rich. Strauss: Tod und Verklärung, op. 24
L. van Beethoven: Sinfonie Nr. 7, A-Dur op. 92
Zugabe: *Rich. Wagner:* Tannhäuser-Ouvertüre

5. Mai 1951, Paris.
Berliner Philharmoniker.
A. Bruckner: Sinfonie Nr. 7, E-Dur (Originalfassung)
L. van Beethoven: Sinfonie Nr. 5, c-Moll op. 67
Zugabe: *C. M. von Weber:* Freischütz-Ouvertüre, op. 77

6. Mai 1951, Paris.
Berliner Philharmoniker.
Jos. Haydn: Sinfonie Nr. 101, D-Dur
Joh. Brahms: Sinfonie Nr. 3, F-Dur op. 90
Rich. Strauss: Don Juan, op. 20
Rich. Wagner: Karfreitagszauber aus Parsifal
Rich. Wagner: Tannhäuser-Ouvertüre
Zugabe: *H. Berlioz:* Marche hongroise aus La damnation de Faust, op. 24

8. Mai 1951, Viersen.
Berliner Philharmoniker.
Jos. Haydn: Sinfonie Nr. 88, G-Dur
P. Hindemith: Konzert für Orchester.
A. Bruckner: Sinfonie Nr. 7, E-Dur (Originalfassung)

9. Mai 1951, Düsseldorf.
Berliner Philharmoniker.
L. Cherubini: Anacréon-Ouvertüre
Joh. Brahms: Sinfonie Nr. 3, F-Dur op. 90
P. I. Tschaikowsky: Sinfonie Nr. 6, h-Moll op. 74

10. Mai 1951, Dortmund.
Berliner Philharmoniker.
Jos. Haydn: Sinfonie Nr. 101, D-Dur
Joh. Brahms: Sinfonie Nr. 3, F-Dur op. 90
L. van Beethoven: Sinfonie Nr. 5, c-Moll op. 67

11. Mai 1951, Essen.
Berliner Philharmoniker.
Jos. Haydn: Sinfonie Nr. 101, D-Dur
Cl. Debussy: Deux Nocturnes, „Nuages“ und „Fêtes“
A. Bruckner: Sinfonie Nr. 7, E-Dur (Originalfassung)

12. Mai 1951, Bielefeld.
Berliner Philharmoniker.
Jos. Haydn: Sinfonie Nr. 101, D-Dur
Rich. Strauss: Tod und Verklärung, op. 24
A. Bruckner: Sinfonie Nr. 7, E-Dur (Originalfassung)

13. Mai 1951, Wolfsburg.
Berliner Philharmoniker.
L. Cherubini: Anacréon-Ouvertüre
Joh. Brahms: Sinfonie Nr. 3, F-Dur op. 90
L. van Beethoven: Sinfonie Nr. 5, c-Moll op. 67
Zugabe: *C. M. von Weber:* Freischütz-Ouvertüre, op. 77

14. Mai 1951, Hannover.
Berliner Philharmoniker.
Jos. Haydn: Sinfonie Nr. 101, D-Dur
Cl. Debussy: Deux Nocturnes, „Nuages" und „Fêtes"
H. Berlioz: Marche hongroise aus La damnation de Faust, op. 24
P. I. Tschaikowsky: Sinfonie Nr. 6, h-Moll op. 74

15. Mai 1951, Hamburg.
Berliner Philharmoniker.
Jos. Haydn: Sinfonie Nr. 101, D-Dur
Joh. Brahms: Sinfonie Nr. 3, F-Dur op. 90
P. I. Tschaikowsky: Sinfonie Nr. 6, h-Moll op. 74

16. Mai 1951, Münster.
Berliner Philharmoniker.
Jos. Haydn: Sinfonie Nr. 101, D-Dur
Joh. Brahms: Sinfonie Nr. 3, F-Dur op. 90
Rich. Strauss: Don Juan, op. 20
Rich. Wagner: Karfreitagszauber aus Parsifal
Rich. Wagner: Tannhäuser-Ouvertüre

19. und 20. Mai 1951, Wien.
Wiener Philharmoniker.
W. Walton: Scapino Overture
C. Franck: Sinfonie in d-Moll
L. van Beethoven: Sinfonie Nr. 5, c-Moll op. 67

26. und 28. Juni 1951, Zürich.
Tonhalle-Orchester, Stadttheater Chor.
Regie: Rudolf Hartmann, Bühnenbild: Max Röthlisberger.
Rich. Wagner: Tristan und Isolde

Tristan	Max Lorenz
König Marke	Josef Greindl
Isolde	Kirsten Flagstad
Kurwenal	Paul Schöffler
Brangäne	Elsa Cavelti
Melot	Willy Ferenz
Hirt	Rolf Sander
Steuermann	Ludwig Zobel
Seemann	Max Lichtegg

29. Juli 1951, Bayreuth.
Chor und Orchester der Bayreuther Festspiele 1951.
L. van Beethoven: Sinfonie Nr. 9, d-Moll op. 125
Elisabeth Schwarzkopf – Elisabeth Höngen – Hans Hopf – Otto Edelmann

1., 6., 10., 17. und 29. August 1951, Salzburg.
Wiener Philharmoniker, Chor der Staatsoper Wien.
Regie: Oscar Fritz Schuh, Bühnenbild: Caspar Neher.
W. A. Mozart: Die Zauberflöte, KV 622

Sarastro	Josef Greindl
Tamino	Anton Dermota
Sprecher	Paul Schöffler
1. Priester	Fred Liewehr
2. Priester	Franz Höbling
Königin der Nacht	Wilma Lipp
Pamina	Irmgard Seefried
1. Dame	Christl Goltz
2. Dame	Margherita Kenney
3. Dame	Sieglinde Wagner
Papageno	Erich Kunz
Papagena	Edith Oravez

Monostatos	Peter Klein
1. Knabe	Hannelore Steffek
2. Knabe	Luise Leitner
3. Knabe	Friedl Meusburger
1. Geharnischter	Hans Beirer
2. Geharnischter	Franz Bierbach

7., 11., 18., 21. und 30. August 1951, Salzburg.
Wiener Philharmoniker, Chor der Staatsoper Wien.
Regie: Herbert Graf, Bühnenbild: Stefan Hlawa.
G. Verdi: Otello

Otello	Ramon Vinay
Jago	Paul Schöffler
Cassio	Anton Dermota
Rodrigo	August Jaresch
Lodovico	Josef Greindl
Montano	Georg Monthy
Herold	Franz Bierbach
Desdemona	Dragica Martinis
Emilia	Sieglinde Wagner

15. August 1951, Luzern.
Luzerner Festspielorchester.
C. M. von Weber: Freischütz-Ouvertüre, op. 77
B. Bartók: Konzert für Orchester
L. van Beethoven: Sinfonie Nr. 7, A-Dur op. 92

19. August 1951, Salzburg.
Wiener Philharmoniker.
F. Mendelssohn-Bartholdy: Die Hebriden, op. 26
G. Mahler: Lieder eines fahrenden Gesellen
Dietrich Fischer-Dieskau, Bariton
A. Bruckner: Sinfonie Nr. 5, B-Dur

20. August 1951, Salzburg, Mozarteum.
Vortrag: „Beethoven und wir"

25. August 1951, Luzern.
Luzerner Festspielorchester, Festwochenchor (Albert Jenny)
Rich. Wagner: Szenen aus Götterdämmerung
(Prolog:)
Nornenszene
Duett
Siegfrieds Rheinfahrt
(Akt 3:)
Rheintöchterszene
Siegfrieds Erzählung
Siegfrieds Tod und Trauermusik
Schlußgesang

Siegfried	Max Lorenz
Brünnhilde	Astrid Varnay
Hagen	Josef Greindl
Gunther	Heinz Rehfuss
1. Norne	Margret Weth-Falke
2. Norne	Margherita Kenney
3. Norne	Hilde Konetzni
Woglinde	Magda Gabory
Wellgunde	Margherita Kenney
Flosshilde	Gertrud Flecker

31. August 1951, Salzburg.
Wiener Philharmoniker, Chor der Staatsoper Wien und Mitglieder des Salzburger Domchores.
L. van Beethoven: Sinfonie Nr. 9, d-Moll op. 125
Irmgard Seefried, Sieglinde Wagner, Anton Dermota, Josef Greindl

5. September 1951, Berlin.
Berliner Philharmoniker, Chor der St. Hedwigs-Kathedrale (Karl Forster)
Chr. W. von Gluck: Alceste-Ouvertüre
L. van Beethoven: Sinfonie Nr. 9, d-Moll op. 125
Elisabeth Grümmer, Gertrude Pitzinger, Peter Anders, Josef Greindl

6. und 7. September 1951, Berlin.
Berliner Philharmoniker, Chor der St. Hedwigs-Kathedrale (Karl Forster)
L. van Beethoven: Sinfonie Nr. 9, d-Moll op. 125
Elisabeth Grümmer, Gertrude Pitzinger, Peter Anders, Josef Greindl

5. Oktober 1951, Montreux.
Wiener Philharmoniker.
C. M. von Weber: Freischütz-Ouvertüre, op. 77
Rob. Schumann: Sinfonie Nr. 1, B-Dur op. 38
P. I. Tschaikowsky: Sinfonie Nr. 6, h-Moll op. 74

6. Oktober 1951, Lausanne.
Wiener Philharmoniker.
L. van Beethoven: Coriolan-Ouvertüre, op. 62
L. van Beethoven: Sinfonie Nr. 6, F-Dur op. 68
Joh. Brahms: Sinfonie Nr. 4, e-Moll op. 98

7. Oktober 1951, Zürich.
Wiener Philharmoniker.
C. M. von Weber: Freischütz-Ouvertüre, op. 77
Rob. Schumann: Sinfonie Nr. 1, B-Dur op. 38
P. I. Tschaikowsky: Sinfonie Nr. 6, h-Moll op. 74

8. Oktober 1951, Basel.
Wiener Philharmoniker.
L. van Beethoven: Coriolan-Ouvertüre, op. 62
L. van Beethoven: Sinfonie Nr. 6, F-Dur op. 68
Joh. Brahms: Sinfonie Nr. 4, e-Moll op. 98

9. Oktober 1951, Paris.
Wiener Philharmoniker.
L. van Beethoven: Coriolan-Ouvertüre, op. 62
L. van Beethoven: Sinfonie Nr. 6, F-Dur op. 68
Joh. Brahms: Sinfonie Nr. 4, e-Moll op. 98
Zugabe: *Rich. Wagner:* Die Meistersinger von Nürnberg: Vorspiel, Akt 1

10. Oktober 1951, Paris.
Wiener Philharmoniker.
C. M. von Weber: Freischütz-Ouvertüre, op. 77
Rob. Schumann: Sinfonie Nr. 1, B-Dur op. 38
P. I. Tschaikowsky: Sinfonie Nr. 6, h-Moll op. 74

13. Oktober 1951, Münster.
Wiener Philharmoniker.
C. M. von Weber: Freischütz-Ouvertüre, op. 77
Rob. Schumann: Sinfonie Nr. 1, B-Dur op. 38

P. I. Tschaikowsky: Sinfonie Nr. 6,
h-Moll op. 74

15. Oktober 1951, Hamburg.
Wiener Philharmoniker.
L. van Beethoven: Coriolan-Ouvertüre,
op. 62
L. van Beethoven: Sinfonie Nr. 6,
F-Dur op. 68
Joh. Brahms: Sinfonie Nr. 4, e-Moll
op. 98

16. Oktober 1951, Hannover.
Wiener Philharmoniker.
L. van Beethoven: Coriolan-Ouvertüre,
op. 62
L. van Beethoven: Sinfonie Nr. 6,
F-Dur op. 68
Joh. Brahms: Sinfonie Nr. 4, e-Moll
op. 98

16. Oktober 1951, Dortmund.
Wiener Philharmoniker.
L. van Beethoven: Coriolan-Ouvertüre,
op. 62
L. van Beethoven: Sinfonie Nr. 6,
F-Dur op. 68
P. I. Tschaikowsky: Sinfonie Nr. 6,
h-Moll op. 74

17. Oktober 1951, Wuppertal-Elberfeld.
Wiener Philharmoniker.
C. M. von Weber: Freischütz-Ouvertüre,
op. 77
M. Ravel: Rhapsodie Espagnole
A. Bruckner: Sinfonie Nr. 4, Es-Dur

18. Oktober 1951, Düsseldorf.
Wiener Philharmoniker.
Joh. Brahms: Sinfonie Nr. 4, e-Moll
op. 98
A. Bruckner: Sinfonie Nr. 4, Es-Dur

19. Oktober 1951, Wiesbaden.
Wiener Philharmoniker.
Jos. Haydn: Sinfonie Nr. 88, G-Dur
M. Ravel: Rhapsodie Espagnole
A. Bruckner: Sinfonie Nr. 4, Es-Dur

20. Oktober 1951, Heidelberg.
Wiener Philharmoniker.
C. M. von Weber: Freischütz-Ouvertüre,
op. 77
Rob. Schumann: Sinfonie Nr. 1, B-Dur
op. 38
P. I. Tschaikowsky: Sinfonie Nr. 6,
h-Moll op. 74

21. Oktober 1951, Frankfurt am Main.
Wiener Philharmoniker.
Joh. Brahms: Sinfonie Nr. 4, e-Moll
op. 98
A. Bruckner: Sinfonie Nr. 4, Es-Dur

22. Oktober 1951, Stuttgart.
Wiener Philharmoniker.
Jos. Haydn: Sinfonie Nr. 88, G-Dur
M. Ravel: Rhapsodie Espagnole
A. Bruckner: Sinfonie Nr. 4, Es-Dur

25. Oktober 1951, London.
Philharmonia Orchestra.
L. van Beethoven: Große Fuge, B-Dur
op. 133
L. van Beethoven: Konzert Nr. 4 für
Klavier und Orchester, G-Dur op. 58
Myra Hess, Klavier
Joh. Brahms: Sinfonie Nr. 1, c-Moll
op. 68

27. Oktober 1951, Hamburg.
Sinfonieorchester des Nord-West-
Deutschen-Rundfunks

Joh. Brahms: Variationen über ein Thema von Joseph Haydn, op. 56a
Joh. Brahms: Konzert für Violine, Violoncello und Orchester, a-Moll op. 102
Erich Röhn, Violine
Arthur Troester, Violoncello
Joh. Brahms: Sinfonie Nr. 1, c-Moll op. 68

28. Oktober 1951, Karlsruhe.
Wiener Philharmoniker.
Jos. Haydn: Sinfonie Nr. 88, G-Dur
Rob. Schumann: Sinfonie Nr. 1, B-Dur op. 38
Joh. Brahms: Sinfonie Nr. 4, e-Moll op. 98

29. Oktober 1951, München.
Wiener Philharmoniker.
L. van Beethoven: Coriolan-Ouvertüre, op. 62
Rob. Schumann: Sinfonie Nr. 1, B-Dur op. 38
A. Bruckner: Sinfonie Nr. 4, Es-Dur

30. November, 2. und 3. Dezember 1951, Berlin.
Berliner Philharmoniker.
Jos. Haydn: Sinfonie Nr. 88, G-Dur
M. Ravel: Rhapsodie Espagnole
A. Bruckner: Sinfonie Nr. 4, Es-Dur

10. Januar 1952, Roma.
Orchestra Sinfonica di Roma della RAI.
L. van Beethoven: Sinfonie Nr. 6, F-Dur op. 68
L. van Beethoven: Sinfonie Nr. 5, c-Moll op. 67

15. Januar 1952, Roma.
Orchestra Sinfonica di Roma della RAI.
Rich. Wagner: Die Walküre: Akt 1

Siegmund	Günther Treptow
Sieglinde	Hilde Konetzni
Hunding	Otto von Rohr

19. Januar 1952, Roma.
Orchestra Sinfonica di Roma della RAI.
L. van Beethoven: Konzert Nr. 4 für Klavier und Orchester, G-Dur op. 58
Pietro Scarpini, Klavier
L. van Beethoven: Sinfonie Nr. 3, Es-Dur op. 55

23. Januar 1952, Wien.
Wiener Philharmoniker.
Regie: Erich Wymetal, Bühnenbild: Alfred Roller.
Rich. Wagner: Die Walküre

Siegmund	Ludwig Suthaus
Sieglinde	Hilde Konetzni
Hunding	Ludwig Hofmann
Wotan	Josef Herrmann
Fricka	Georgine von Milinkovic
Brünnhilde	Helene Werth
Helmwige	Berta Seidl
Gerhilde	Judith Hellwig
Ortlinde	Esther Réthy
Waltraute	Mira Kalin
Siegrune	Margherita Kenney
Rossweisse	Dagmar Hermann
Grimgerde	Sieglinde Wagner
Schwertleite	Polly Batic

26., 27. und 28. Januar 1952, Wien.
Wiener Philharmoniker.
Joh. Brahms: Variationen über ein Thema von Joseph Haydn, op. 56a
Joh. Brahms: Konzert für Violine, Violoncello und Orchester, a-Moll op. 102
Willi Boskovsky, Violine – Emanuel Brabec, Violoncello
Joh. Brahms: Sinfonie Nr. 1, c-Moll op. 68

27. Januar 1952, Wien.
Wiener Philharmoniker.
W. A. Mozart: Konzert Nr. 22 für Klavier und Orchester, Es-Dur KV 482
Paul Badura-Skoda, Klavier
W. A. Mozart: Serenade Nr. 10, B-Dur KV 361

30. Januar 1952, Wien.
Wiener Philharmoniker, Chor der Staatsoper Wien.
Regie: Josef Witt, Bühnenbild: Robert Kautsky.
Rich. Wagner: Tristan und Isolde

Tristan	Ludwig Suthaus
König Marke	Gottlob Frick
Isolde	Anny Konetzni
Kurwenal	Josef Herrmann
Brangäne	Georgine von Milinkovic
Melot	Hans Braun
Hirt	Peter Klein
Steuermann	Harald Pröglhöf
Seemann	Anton Dermota

2., 3. und 4. Februar 1952, Wien.
Wiener Philharmoniker, Wiener Singakademie.
L. van Beethoven: Sinfonie Nr. 9, d-Moll op. 125
Hilde Güden – Rosette Anday – Julius Patzak – Alfred Poell

8., 9. und 10. Februar 1952, Berlin.
Berliner Philharmoniker.
L. van Beethoven: Große Fuge, B-Dur op. 133
A. Honegger: Mouvement symphonique Nr. 3
Fr. Schubert: Sinfonie Nr. 8, h-Moll op. posth., D 759
Joh. Brahms: Sinfonie Nr. 1, c-Moll op. 68

29. Februar, 4., 6., 9., 12. und 16. März 1952, Milano.
Coro e Orchestra del Teatro alla Scala di Milano.
Regie: Otto Erhardt, Bühnenbild: Nicola Benois.
Rich. Wagner: Die Meistersinger von Nürnberg

Hans Sachs	Josef Herrmann
Pogner	Josef Greindl
Vogelgesang	Erich Majkut
Nachtigall	Harald Pröglhöf
Beckmesser	Erich Kunz
Kothner	Fritz Krenn
Zorn	Luciano della Pergola
Eisslinger	Josef Schmiedinger
Moser	Josef Collins
Schwarz	Wolfram Zimmermann
Foltz	Alfred Muzzarelli
Stolzing	Hans Beirer
David	Murray Dickie
Eva	Elisabeth Grümmer
Magdalena	Sieglinde Wagner
Nachtwächter	Harald Pröglhöf

3. März 1952, Torino.
Orchestra Sinfonica di Torino della RAI.
Jos. Haydn: Sinfonie Nr. 88, G-Dur
L. van Beethoven: Leonoren-Ouvertüre Nr. 3, C-Dur op. 72a
M. Ravel: Rhapsodie Espagnole
Rich. Strauss: Tod und Verklärung, op. 24

7. März 1952, Torino.
Orchestra Sinfonica di Torino della RAI.
Joh. Brahms: Konzert für Violine und Orchester, D-Dur, op. 77
Gioconda de Vito, Violine
Joh. Brahms: Sinfonie Nr. 1, c-Moll op. 68

11. März 1952, Torino.
Orchestra Sinfonica di Torino della RAI.
Fr. Schubert: Rosamunde-Ouvertüre, D 644
Fr. Schubert: Sinfonie Nr. 8, h-Moll op. posth., D 759
F. Mendelssohn-Bartholdy: Konzert für Violine und Orchester, e-Moll op. 64
Gioconda de Vito, Violine
Rich. Wagner: Tristan und Isolde: Vorspiel und Liebestod

9., 10. und 11. April 1952, Wien.
Wiener Philharmoniker, Wiener Singakademie und Wiener Sängerknaben (Reinhold Schmid)
Joh. Seb. Bach: Matthäuspassion, BWV 244
Irmgard Seefried, Sopran

Hilde Rössl-Majdan, Alt
Julius Patzak, Evangelist/Tenor
Hans Braun, Jesus
Otto Wiener, Bass
Anton Heiller, Cembalo
Frantz Schütz, Orgel
Willi Boskovsky, Solovioline
Emanuel Brabec, Soloviolоncello
Hans Reznicek, Soloflöte
Hans Kamesch, Solooboe

17., 18. und 20. April 1952, Berlin.
Berliner Philharmoniker.
L. van Beethoven: Sinfonie Nr. 8, F-Dur op. 93
Rob. Schumann: Sinfonie Nr. 4, d-Moll op. 120
Joh. Brahms: Sinfonie Nr. 2, D-Dur op. 73

24. April 1952, London.
Philharmonia Orchestra.
Rob. Schumann: Manfred-Ouvertüre, op. 115
Rob. Schumann: Sinfonie Nr. 4, d-Moll op. 120
M. Ravel: Rhapsodie Espagnole
Rich. Wagner: Fünf Wesendonk-Lieder
Kirsten Flagstad, Sopran
Rich. Wagner: Schlußgesang aus Götterdämmerung
Kirsten Flagstad, Sopran

26. April 1952, Hamburg.
Berliner Philharmoniker.
C. M. von Weber: Oberon-Ouvertüre
Rob. Schumann: Sinfonie Nr. 4, d-Moll op. 120
A. Honegger: Mouvement symphonique Nr. 3
M. Ravel: Rhapsodie Espagnole
Rich. Wagner: Holländer-Ouvertüre

27. April 1952, Kiel.
Berliner Philharmoniker.
L. van Beethoven: Egmont-Ouvertüre, f-Moll op. 84
L. van Beethoven: Große Fuge, B-Dur op. 133
L. van Beethoven: Sinfonie Nr. 8, F-Dur op. 93
L. van Beethoven: Sinfonie Nr. 5, c-Moll op. 67

28. April 1952, Bremen.
Berliner Philharmoniker.
L. van Beethoven: Egmont-Ouvertüre, f-Moll op. 84
L. van Beethoven: Große Fuge, B-Dur op. 133
Rob. Schumann: Sinfonie Nr. 4, d-Moll op. 120
Joh. Brahms: Sinfonie Nr. 2, D-Dur op. 73

29. April 1952, Hannover.
Berliner Philharmoniker.
L. van Beethoven: Cavatina, op. 130
L. van Beethoven: Große Fuge, B-Dur op. 133
L. van Beethoven: Sinfonie Nr. 5, c-Moll op. 67
A. Honegger: Mouvement symphonique Nr. 3
M. Ravel: Rhapsodie Espagnole
Rich. Strauss: Tod und Verklärung, op. 24

30. April 1952, Krefeld.
Berliner Philharmoniker.
L. van Beethoven: Egmont-Ouvertüre, f-Moll op. 84
L. van Beethoven: Große Fuge, B-Dur op. 133
Rob. Schumann: Sinfonie Nr. 4, d-Moll op. 120
Joh. Brahms: Sinfonie Nr. 2, D-Dur op. 73

2. Mai 1952, Paris.
Berliner Philharmoniker.
C. M. von Weber: Oberon-Ouvertüre
Rob. Schumann: Sinfonie Nr. 4, d-Moll op. 120
A. Honegger: Mouvement symphonique Nr. 3
M. Ravel: Rhapsodie Espagnole
Rich. Strauss: Tod und Verklärung, op. 24
Zugabe: *Rich. Wagner:* Holländer-Ouvertüre

3. Mai 1952, Paris.
Berliner Philharmoniker.
L. van Beethoven: Egmont-Ouvertüre, f-Moll op. 84
L. van Beethoven: Große Fuge, B-Dur op. 133
Joh. Brahms: Konzert für Violine, Violoncello und Orchester, a-Moll op. 102
Josef Szigeti, Violine – Pierre Fournier, Violoncello
Joh. Brahms: Sinfonie Nr. 2, D-Dur op. 73
Zugabe: *Rich. Wagner:* Die Meistersinger von Nürnberg: Vorspiel, Akt 1

5. Mai 1952, Baden-Baden.
Berliner Philharmoniker.
L. van Beethoven: Sinfonie Nr. 8, F-Dur op. 93
L. van Beethoven: Cavatina, op. 130
L. van Beethoven: Große Fuge, B-Dur op. 133
Joh. Brahms: Sinfonie Nr. 2, D-Dur op. 73

6. Mai 1952, Freiburg im Breisgau.
Berliner Philharmoniker.
L. van Beethoven: Egmont-Ouvertüre, f-Moll op. 84
L. van Beethoven: Große Fuge, B-Dur op. 133
Rob. Schumann: Sinfonie Nr. 4, d-Moll op. 120
Joh. Brahms: Sinfonie Nr. 2, D-Dur op. 73

7. Mai 1952, München.
Berliner Philharmoniker.
L. van Beethoven: Große Fuge, B-Dur op. 133
Joh. Brahms: Sinfonie Nr. 2, D-Dur op. 73
M. Ravel: Rhapsodie Espagnole
Rich. Strauss: Tod und Verklärung, op. 24

8. Mai 1952, Stuttgart.
Berliner Philharmoniker.
L. van Beethoven: Cavatina, op. 130
L. van Beethoven: Große Fuge, B-Dur, op. 133
A. Honegger: Mouvement symphonique Nr. 3
Rich. Strauss: Tod und Verklärung, op. 24
Rich. Wagner: Die Meistersinger von Nürnberg: Vorspiel Akt 1

9. Mai 1952, Landau (Pfalz).
Berliner Philharmoniker.
H. Berlioz: Le carnaval romain: Ouvertüre
M. Ravel: Rhapsodie Espagnole
Rich. Strauss: Tod und Verklärung, op. 24
L. van Beethoven: Sinfonie Nr. 5, c-Moll op. 67

10. Mai 1952, Heidelberg.
Berliner Philharmoniker.
H. Berlioz: Le carnaval romain: Ouvertüre
M. Ravel: Rhapsodie Espagnole
Rich. Strauss: Tod und Verklärung, op. 24
L. van Beethoven: Sinfonie Nr. 7, A-Dur op. 92

11. Mai 1952, Frankfurt am Main.
Berliner Philharmoniker.
C. M. von Weber: Oberon-Ouvertüre
M. Ravel: Rhapsodie Espagnole
Rich. Strauss: Tod und Verklärung, op. 24
L. van Beethoven: Sinfonie Nr. 7, A-Dur op. 92

12. Mai 1952, Bonn.
Berliner Philharmoniker.
L. van Beethoven: Sinfonie Nr. 8, F-Dur op. 93
L. van Beethoven: Leonoren-Ouvertüre Nr. 3, C-Dur op. 72a
L. van Beethoven: Sinfonie Nr. 7, A-Dur op. 92

13. Mai 1952, Viersen.
Berliner Philharmoniker.
H. Berlioz: Le carnaval romain: Ouvertüre
Cl. Debussy: Deux Nocturnes, „Nuages“ und „Fêtes“
M. Ravel: Rhapsodie Espagnole
Joh. Brahms: Sinfonie Nr. 2, D-Dur op. 73

14. Mai 1952, Essen.
Berliner Philharmoniker.
C. M. von Weber: Oberon-Ouvertüre
M. Ravel: Rhapsodie Espagnole
Rich. Strauss: Tod und Verklärung, op. 24
L. van Beethoven: Sinfonie Nr. 5, c-Moll op. 67

15. Mai 1952, Düsseldorf.
Berliner Philharmoniker.
H. Berlioz: Le carnaval romain: Ouvertüre
Rob. Schumann: Sinfonie Nr. 4, d-Moll op. 120
Joh. Brahms: Sinfonie Nr. 2, D-Dur op. 73

16. Mai 1952, Bielefeld.
Berliner Philharmoniker.
L. van Beethoven: Sinfonie Nr. 8, F-Dur op. 93
L. van Beethoven: Cavatina, op. 130
L. van Beethoven: Große Fuge, B-Dur op. 133
Joh. Brahms: Sinfonie Nr. 2, D-Dur op. 73

17. Mai 1952, Münster.
Berliner Philharmoniker.
C. M. von Weber: Oberon-Ouvertüre
Joh. Brahms: Sinfonie Nr. 2, D-Dur op. 73

M. Ravel: Rhapsodie Espagnole
Rich. Strauss: Tod und Verklärung, op. 24

24. Mai 1952, Berlin.
Berliner Philharmoniker.
H. Berlioz: Le carnaval romain: Ouvertüre
Cl. Debussy: Deux Nocturnes, „Nuages" und „Fêtes"
F. Mendelssohn-Bartholdy: Konzert für Violine und Orchester, e-Moll op. 64
Yehudi Menuhin, Violine
L. van Beethoven: Sinfonie Nr. 7, A-Dur op. 92

25. Mai 1952, Berlin.
Berliner Philharmoniker.
Jos. Haydn: Sinfonie Nr. 94, G-Dur
Joh. Seb. Bach: Konzert Nr. 2 für Violine und Orchester, E-Dur BWV 1042
Yehudi Menuhin, Violine
F. Mendelssohn-Bartholdy: Konzert für Violine und Orchester, d-Moll
Yehudi Menuhin, Violine
L. van Beethoven: Sinfonie Nr. 7, A-Dur op. 92

26. Mai 1952, Berlin.
Berliner Philharmoniker.
L. van Beethoven: Leonoren-Ouvertüre Nr. 2, C-Dur op. 72
L. van Beethoven: Konzert für Violine und Orchester, D-Dur op. 61
Yehudi Menuhin, Violine
L. van Beethoven: Sinfonie Nr. 5, c-Moll op. 67

31. Mai 1952, Roma.
Orchestra Sinfonica di Roma della RAI.
Rich. Wagner: Götterdämmerung: Akt 3

Siegfried	Ludwig Suthaus
Gunther	Josef Herrmann
Hagen	Josef Greindl
Brünnhilde	Kirsten Flagstad
Gutrune	Hilde Konetzni
Woglinde	Julia Moor
Wellgunde	Elisabeth Lindenmeier
Flosshilde	Ruth Michaelis

4. Juni 1952, Torino.
Orchestra Sinfonica di Torino della RAI.
Joh. Brahms: Konzert für Violine, Violoncello und Orchester, a-Moll op. 102
Wolfgang Schneiderhan, Violine – Enrico Mainardi, Violoncello
Joh. Brahms: Sinfonie Nr. 2, D-Dur op. 73

6. Juni 1952, Torino.
Orchestra Sinfonica di Torino della RAI.
Rich. Wagner: Holländer-Ouvertüre
Rich. Wagner: Siegfried-Idyll
Rich. Wagner: Siegfrieds Rheinfahrt aus Götterdämmerung
P. I. Tschaikowsky: Sinfonie Nr. 5, e-Moll, op. 64

29. Juni 1952, Zürich.
Tonhalle-Orchester.
Regie: Rudolf Hartmann, Bühnenbild: Roman Clemens.
Rich. Wagner: Die Walküre

Siegmund	Franz Lechleitner
Sieglinde	Helene Werth
Hunding	Josef Greindl

Wotan	Andreas Böhm
Fricka	Elsa Cavelti
Brünnhilde	Gertrud Grob-Prandl
Gerhilde	Hildegard Hillebrecht
Ortlinde	Leni Funk
Waltraute	Edith Oravez
Schwertleite	Alice Oelke
Helmwige	Colette Lorand
Siegrune	Margrit von Syben
Grimgerde	Rita Pich
Rossweisse	Gertrud Flecker

29. und 30. November 1952, Wien.
Wiener Philharmoniker.
L. van Beethoven: Sinfonie Nr. 1, C-Dur op. 21
G. Mahler: Lieder eines fahrenden Gesellen
Alfred Poell, Bariton
L. van Beethoven: Sinfonie Nr. 3, Es-Dur op. 55

7., 8. und 9. Dezember 1952, Berlin.
Berliner Philharmoniker.
C. M. von Weber: Freischütz-Ouvertüre, op. 77
P. Hindemith: Die Harmonie der Welt
L. van Beethoven: Sinfonie Nr. 3, Es-Dur op. 55

16. Dezember 1952, Frankfurt am Main.
Sinfonieorchester des Hessischen Rundfunks.
Chr. W. von Gluck: Iphigénie en Aulide: Ouvertüre
W. Furtwängler: Sinfonie Nr. 2, e-Moll

19. Dezember 1952, Torino.
Coro e Orchestra Sinfonica di Torino della RAI und Coro del Teatro alla Scala di Milano.
L. van Beethoven: Sinfonie Nr. 9, d-Moll op. 125
Elisabeth Schwarzkopf – Margarete Klose – Anton Dermota – Otto Edelmann

15. Januar 1953, Hamburg.
Berliner Philharmoniker.
W. Furtwängler: Sinfonie Nr. 2, e-Moll
L. van Beethoven: Sinfonie Nr. 1, C-Dur op. 21

16. Januar 1953, Bremen.
Berliner Philharmoniker.
W. Furtwängler: Sinfonie Nr. 2, e-Moll
L. van Beethoven: Sinfonie Nr. 1, C-Dur op. 21

17. Januar 1953, Duisburg.
Berliner Philharmoniker.
W. Furtwängler: Sinfonie Nr. 2, e-Moll
L. van Beethoven: Sinfonie Nr. 1, C-Dur op. 21

18. Januar 1953, Mannheim.
Berliner Philharmoniker.
W. Furtwängler: Sinfonie Nr. 2, e-Moll
L. van Beethoven: Sinfonie Nr. 1, C-Dur op. 21

19. Januar 1953, Essen.
Berliner Philharmoniker.
W. Furtwängler: Sinfonie Nr. 2, e-Moll
L. van Beethoven: Sinfonie Nr. 1, C-Dur op. 21

20. Januar 1953, Bielefeld.
Berliner Philharmoniker.
W. Furtwängler: Sinfonie Nr. 2, e-Moll
L. van Beethoven: Sinfonie Nr. 1, C-Dur op. 21

23. Januar 1953, Wien.
Wiener Philharmoniker.
L. van Beethoven: Sinfonie Nr. 9, d-Moll op. 125
(Ohnmacht im 3. Satz)

8., 9. und 10. Februar 1953, Berlin.
Berliner Philharmoniker.
Joh. Seb. Bach: Suite Nr. 2 für Orchester, h-Moll BWV 1067
Aurèle Nicolet, Flöte
M. Ravel: Valses nobles et sentimentales
I. Stravinsky: Kleine Suite Nr. 1 für kleines Orchester
Joh. Brahms: Sinfonie Nr. 2, D-Dur op. 73

15. und 17. Februar 1953, Wien.
Wiener Philharmoniker.
Rich. Wagner: Szenen aus Götterdämmerung
(Prolog:)
Nornenszene
Duett
Siegfrieds Rheinfahrt
(Akt 3:)
Rheintöchterszene
Siegfrieds Erzählung
Siegfrieds Tod und Trauermusik
Schlußgesang

Siegfried	Ludwig Suthaus
Brünnhilde	Anny Konetzni
Hagen	Gottlob Frick
Gunther	Josef Metternich
1. Norne	Elisabeth Höngen
2. Norne	Hilde Rössl-Majdan
3. Norne	Hilde Konetzni
Woglinde	Sena Jurinac
Wellgunde	Dagmar Hermann
Flosshilde	Mira Kalin

21. und 22. Februar 1953, Wien.
Wiener Philharmoniker.
Chr. W. von Gluck: Iphigénie en Aulide: Ouvertüre
W. Furtwängler: Sinfonie Nr. 2, e-Moll

25. Februar 1953, Winterthur.
Winterthurer Stadtorchester.
C. Franck: Sinfonie in d-Moll
O. Schoeck: Sommernacht, op. 58
P. I. Tschaikowsky: Sinfonie Nr. 6, h-Moll op. 74

2. und 3. März 1953, Zürich.
Tonhalle-Orchester.
L. van Beethoven: Sinfonie Nr. 4, B-Dur op. 60
L. van Beethoven: Sinfonie Nr. 3, Es-Dur op. 55

24. März 1953, Kassel.
Staatskapelle Kassel.
W. Furtwängler: Sinfonie Nr. 2, e-Moll
L. van Beethoven: Sinfonie Nr. 1, C-Dur op. 21

27. März 1953, London.
Philharmonia Orchestra.
L. van Beethoven: Egmont-Ouvertüre, f-Moll op. 84
L. van Beethoven: Sinfonie Nr. 6, F-Dur op. 68
L. van Beethoven: Sinfonie Nr. 7, A-Dur op. 92

12., 13. und 14. April 1953, Berlin.
Berliner Philharmoniker.
L. van Beethoven: Sinfonie Nr. 8, F-Dur op. 93
Rich. Strauss: Till Eulenspiegels lustige Streiche, op. 28
L. van Beethoven: Sinfonie Nr. 7, A-Dur op. 92

16. April 1953, Hamburg.
Berliner Philharmoniker.
L. van Beethoven: Sinfonie Nr. 8, F-Dur op. 93
M. Ravel: Valses nobles et sentimentales
Joh. Brahms: Sinfonie Nr. 2, D-Dur op. 73

17. April 1953, Kiel.
Berliner Philharmoniker.
Joh. Brahms: Sinfonie Nr. 2, D-Dur op. 73
Rich. Wagner: Tristan und Isolde: Vorspiel und Liebestod
L. van Beethoven: Sinfonie Nr. 7, A-Dur op. 92

18. April 1953, Dortmund.
Berliner Philharmoniker.
Joh. Seb. Bach: Suite Nr. 2 für Orchester, h-Moll BWV 1067
Aurèle Nicolet, Flöte
M. Ravel: Valses nobles et sentimentales
Rich. Strauss: Till Eulenspiegels lustige Streiche, op. 28
Joh. Brahms: Sinfonie Nr. 2, D-Dur op. 73

19. April 1953, Köln.
Berliner Philharmoniker.
L. van Beethoven: Sinfonie Nr. 8, F-Dur op. 93
Rich. Strauss: Don Juan, op. 20
Rich. Wagner: Tristan und Isolde: Vorspiel und Liebestod
Joh. Brahms: Sinfonie Nr. 1, c-Moll op. 68

20. April 1953, Brüssel.
Berliner Philharmoniker.

L. van Beethoven: Sinfonie Nr. 8, F-Dur op. 93
Rich. Wagner: Tristan und Isolde: Vorspiel und Liebestod
Joh. Brahms: Sinfonie Nr. 1, c-Moll op. 68

22. April 1953, London.
Berliner Philharmoniker.
Joh. Seb. Bach: Suite Nr. 2 für Orchester, h-Moll BWV 1067
Aurèle Nicolet, Flöte
Rich. Wagner: Tristan und Isolde: Vorspiel und Liebestod
Rich. Strauss: Till Eulenspiegels lustige Streiche, op. 28
Joh. Brahms: Sinfonie Nr. 2, D-Dur op. 73

24. April 1953, Düsseldorf.
Berliner Philharmoniker.
Joh. Seb. Bach: Suite Nr. 2 für Orchester, h-Moll BWV 1067
Aurèle Nicolet, Flöte
M. Ravel: Valses nobles et sentimentales
Rich. Strauss: Don Juan, op. 20
Joh. Brahms: Sinfonie Nr. 1, c-Moll op. 68

25. April 1953, Essen.
Berliner Philharmoniker.
F. Mendelssohn-Bartholdy: Die Hebriden, op. 26
M. Ravel: Valses nobles et sentimentales
Rich. Strauss: Don Juan, op. 20
Joh. Brahms: Sinfonie Nr. 2, D-Dur op. 73

26. April 1953, Hannover.
Berliner Philharmoniker.
Joh. Seb. Bach: Suite Nr. 2 für Orchester, h-Moll BWV 1067
Aurèle Nicolet, Flöte
O. Schoeck: Sommernacht, op. 58
Rich. Wagner: Tristan und Isolde: Vorspiel und Liebestod
Joh. Brahms: Sinfonie Nr. 1, c-Moll op. 68

28. April 1953, Paris.
Berliner Philharmoniker.
Joh. Seb. Bach: Suite Nr. 2 für Orchester, h-Moll BWV 1067
Aurèle Nicolet, Flöte
M. Ravel: Valses nobles et sentimentales
Rich. Strauss: Till Eulenspiegels lustige Streiche, op. 28
Joh. Brahms: Sinfonie Nr. 1, c-Moll op. 68

30. April 1953, Paris.
Berliner Philharmoniker.
L. van Beethoven: Sinfonie Nr. 8, F-Dur op. 93
L. van Beethoven: Leonoren-Ouvertüre Nr. 3, C-Dur op. 72a
L. van Beethoven: Sinfonie Nr. 7, A-Dur op. 92
Zugabe: *Rich. Wagner:* Tristan und Isolde: Vorspiel und Liebestod

2. Mai 1953, Baden-Baden.
Berliner Philharmoniker.
Joh. Seb. Bach: Suite Nr. 2 für Orchester, h-Moll BWV 1067
Aurèle Nicolet, Flöte
M. Ravel: Valses nobles et sentimentales

Rich. Strauss: Don Juan, op. 20
L. van Beethoven: Sinfonie Nr. 3, Es-Dur op. 55

3. Mai 1953, Basel.
Berliner Philharmoniker.
F. Mendelssohn-Bartholdy: Die Hebriden, op. 26
O. Schoeck: Sommernacht, op. 58
Rich. Strauss: Don Juan, op. 20
L. van Beethoven: Sinfonie Nr. 7, A-Dur op. 92

4. Mai 1953, Zürich.
Berliner Philharmoniker.
Joh. Seb. Bach: Suite Nr. 2 für Orchester, h-Moll BWV 1067
Aurèle Nicolet, Flöte
M. Ravel: Valses nobles et sentimentales
Rich. Strauss: Till Eulenspiegels lustige Streiche, op. 28
Joh. Brahms: Sinfonie Nr. 2, D-Dur op. 73

5. Mai 1953, Freiburg im Breisgau.
Berliner Philharmoniker.
L. van Beethoven: Sinfonie Nr. 7, A-Dur op. 92
Rich. Strauss: Till Eulenspiegels lustige Streiche, op. 28
Joh. Brahms: Sinfonie Nr. 1, c-Moll op. 68

6. Mai 1953, Nürnberg.
Berliner Philharmoniker.
H. Berlioz: Le corsaire: Ouvertüre
M. Ravel: Valses nobles et sentimentales
Rich. Strauss: Till Eulenspiegels lustige Streiche, op. 28
Joh. Brahms: Sinfonie Nr. 2, D-Dur op. 73

7. Mai 1953, München.
Berliner Philharmoniker.
F. Mendelssohn-Bartholdy: Die Hebriden, op. 26
L. van Beethoven: Konzert für Violine und Orchester, D-Dur op. 61
Yehudi Menuhin, Violine
Joh. Brahms: Sinfonie Nr. 1, c-Moll op. 68

8. Mai 1953, Landau (Pfalz).
Berliner Philharmoniker.
F. Mendelssohn-Bartholdy: Die Hebriden, op. 26
M. Ravel: Valses nobles et sentimentales
Rich. Wagner: Tristan und Isolde: Vorspiel und Liebestod
L. van Beethoven: Sinfonie Nr. 7, A-Dur op. 92

9. Mai 1953, Ludwigshafen.
Berliner Philharmoniker.
Joh. Brahms: Sinfonie Nr. 2, D-Dur op. 73
L. van Beethoven: Sinfonie Nr. 3, Es-Dur op. 55

10. Mai 1953, Frankfurt am Main.
Berliner Philharmoniker.
F. Mendelssohn-Bartholdy: Die Hebriden, op. 26
M. Ravel: Valses nobles et sentimentales
Rich. Strauss: Don Juan, op. 20
Joh. Brahms: Sinfonie Nr. 2, D-Dur op. 73

17., 18. und 19. Mai 1953, Berlin.
Berliner Philharmoniker.
I. Stravinsky: Suite aus „Le baiser de la Fée"
L. van Beethoven: Konzert für Violine und Orchester, D-Dur op. 61
Wolfgang Schneiderhan, Violine
Joh. Brahms: Sinfonie Nr. 1, c-Moll op. 68

30. Mai 1953, Wien.
Wiener Philharmoniker, Wiener Singakademie.
L. van Beethoven: Sinfonie Nr. 9, d-Moll op. 125
Hilde Zadek – Rosette Anday – Anton Dermota – Paul Schöffler

31. Mai 1953, Wien.
Wiener Philharmoniker, Wiener Singakademie.
L. van Beethoven: Leonoren-Ouvertüre Nr. 2, C-Dur op. 72
L. van Beethoven: Sinfonie Nr. 9, d-Moll op. 125
Irmgard Seefried – Rosette Anday – Anton Dermota – Paul Schöffler

1. Juni 1953, Linz.
Wiener Philharmoniker, Wiener Singakademie.
L. van Beethoven: Sinfonie Nr. 9, d-Moll op. 125
Hilde Zadek – Elisabeth Höngen – Anton Dermota – Alfred Poell

27. Juli, 3., 8., 18. und 28. August 1953, Salzburg.
Wiener Philharmoniker, Chor der Staatsoper Wien.
Regie: Herbert Graf, Bühnenbild: Clemens Holzmeister.
W. A. Mozart: Don Giovanni, KV 527

l'Commentatore	Raffaele Arié
Don Giovanni	Cesare Siepi
Don Ottavio	Anton Dermota
Donna Anna	Elisabeth Grümmer
Donna Elvira	Elisabeth Schwarzkopf
Leporello	Otto Edelmann
Masetto	Walter Berry
Zerlina	Erna Berger

7., 11., 14. und 29. August 1953, Salzburg.
Wiener Philharmoniker, Chor der Staatsoper Wien.
Regie: Herbert Graf, Bühnenbild: Stefan Hlawa.
W. A. Mozart: Le nozze di Figaro, KV 492 (in deutscher Sprache)

Graf Almaviva	Paul Schöffler
Gräfin Almaviva	Elisabeth Schwarzkopf
Susanna	Irmgard Seefried
Figaro	Erich Kunz
Basilio	Peter Klein
Bartolo	Endre Koréh
Marzellina	Sieglinde Wagner
Cherubino	Hilde Güden
Antonio	Alois Pernerstorfer
Barbarina	Liselotte Maikl
Curzio	Erich Majkut

12. August 1953, Salzburg.
Elisabeth Schwarzkopf, Sopran – Wilhelm Furtwängler, Klavier
Lieder von *H. Wolf*

Eduard Mörike: Im Frühling – Elfenlied – Lebewohl – Schlafendes Jesuskind
Johann Wolfgang von Goethe: Phänomen – Die Spröde – Die Bekehrte – Anacreons Grab – Blumengruß – Epiphanias
Ital. Liederbuch: Wie lange schon – Was soll der Zorn – Nein, junger Herr – Mein Liebster hat zu Tische
Span. Liederbuch: Bedeckt mich mit Blumen – Herr, was trägt der Boden hier – In dem Schatten – Mögen alle bösen Zungen
Gottfried Keller: Wie glänzt der helle Mond
Rob. Reinick: Wiegenlied (im Sommer)
Josef von Eichendorff: Nachtzauber – Die Zigeunerin
Zugabe: *Eduard Mörike:* In der Frühe

22. August 1953, Luzern.
Luzerner Festspielorchester.
G. Fr. Händel: Concerto Grosso, d-Moll op. 6, Nr. 10
P. Hindemith: Die Harmonie der Welt
Joh. Brahms: Konzert Nr. 2 für Klavier und Orchester, B-Dur op. 83
Edwin Fischer, Klavier

26. August 1953, Luzern.
Luzerner Festspielorchester.
Rob. Schumann: Manfred-Ouvertüre, op. 115
Rob. Schumann: Sinfonie Nr. 4, d-Moll op. 120
L. van Beethoven: Sinfonie Nr. 3, Es-Dur op. 55

30. August 1953, Salzburg.
Wiener Philharmoniker.
Rich. Strauss: Don Juan, op. 20
P. Hindemith: Die Harmonie der Welt
Fr. Schubert: Sinfonie Nr. 9, C-Dur op. posth., D 944

4. September 1953, München.
Wiener Philharmoniker.
L. van Beethoven: Egmont-Ouvertüre, f-Moll op. 84
L. van Beethoven: Sinfonie Nr. 4, B-Dur op. 60
L. van Beethoven: Sinfonie Nr. 3, Es-Dur op. 55

6. und 7. September 1953, Edinburgh.
Wiener Philharmoniker.
L. van Beethoven: Egmont-Ouvertüre, f-Moll op. 84
L. van Beethoven: Sinfonie Nr. 4, B-Dur op. 60
L. van Beethoven: Sinfonie Nr. 5, c-Moll op. 67

9. September 1953, Edinburgh.
Wiener Philharmoniker.
Rich. Wagner: Die Meistersinger von Nürnberg: Vorspiel, Akt 1
P. Hindemith: Die Harmonie der Welt
Fr. Schubert: Sinfonie Nr. 9, C-Dur op. posth., D 944

11. September 1953, Edinburgh.
Wiener Philharmoniker.
Rich. Strauss: Don Juan, op. 20
B. Bartók: Konzert für Violine und Orchester (1938)
Yehudi Menuhin, Violine
Joh. Brahms: Sinfonie Nr. 1, c-Moll op. 68

15., 16. und 17. September 1953, Berlin.
Berliner Philharmoniker.
Fr. Schubert: Rosamunde-Ouvertüre, D 644
Fr. Schubert: Sinfonie Nr. 8, h-Moll op. posth., D 759
Fr. Schubert: Sinfonie Nr. 9, C-Dur op. posth., D 944

19. September 1953, Kiel.
Wiener Philharmoniker.
Rich. Strauss: Don Juan, op. 20
L. van Beethoven: Sinfonie Nr. 4, B-Dur op. 60
Joh. Brahms: Sinfonie Nr. 1, c-Moll op. 68

12., 15. und 18. Oktober 1953, Wien.
Wiener Philharmoniker, Chor der Staatsoper Wien.
Regie: Herbert Graf, Bühnenbild: Robert Kautsky.
L. van Beethoven: Fidelio, op. 72

Don Fernando Alfred Poell
Don Pizarro Otto Edelmann
Florestan Wolfgang Windgassen
Leonore Martha Mödl
Rocco Gottlob Frick
Jacquino Rudolf Schock
Marzelline Sena Jurinac
1. Gefangener Hermann Gallos (12. Okt.)/ Erich Majkut
2. Gefangener Franz Bierbach

26. Oktober 1953, Roma.
Coro e Orchestra Sinfonica di Roma della RAI.
Rich. Wagner: Das Rheingold

Wotan Ferdinand Frantz
Donner Alfred Poell
Froh Lorenz Fehenberger
Loge Wolfgang Windgassen
Fasolt Josef Greindl
Fafner Gottlob Frick
Alberich Gustav Neidlinger
Mime Julius Patzak
Fricka Ira Malaniuk
Freia Elisabeth Grümmer
Erda Rut Siewert
Woglinde Sena Jurinac
Wellgunde Magda Gabory
Flosshilde Hilde Rössl-Majdan

29. Oktober, 3. und 6. November 1953, Roma. *)
Orchestra Sinfonica di Roma della RAI.
Rich. Wagner: Die Walküre

Siegmund Wolfgang Windgassen
Hunding Gottlob Frick
Wotan Ferdinand Frantz
Sieglinde Hilde Konetzni
Brünnhilde Martha Mödl
Fricka Elsa Cavelti
Helmwige Judith Hellwig
Gerhilde Gerda Scheyrer
Ortlinde Magda Gabory
Waltraute Dagmar Schmedes
Siegrune Olga Bennings
Rossweisse Ira Malaniuk
Grimgerde Elsa Cavelti
Schwertleite Hilde Rössl-Majdan

10., 13. und 17. November 1953, Roma. *)
Orchestra Sinfonica di Roma della RAI.

---

*) Ein Akt pro Tag.

Rich. Wagner: Siegfried

Siegfried	Ludwig Suthaus
Mime	Julius Patzak
Wanderer	Ferdinand Frantz
Alberich	Alois Pernerstorfer
Fafner	Josef Greindl
Erda	Margarete Klose
Brünnhilde	Martha Mödl
Waldvogel	Rita Streich

20., 24. und 27. November 1953, Roma. *)

Coro e Orchestra Sinfonica di Roma della RAI.

Rich. Wagner: Götterdämmerung

Siegfried	Ludwig Suthaus
Gunther	Alfred Poell
Hagen	Josef Greindl
Alberich	Alois Pernerstorfer
Brünnhilde	Martha Mödl
Gutrune	Sena Jurinac
Waltraute	Margarete Klose
1. Norne	Margarete Klose
2. Norne	Hilde Rössl-Majdan
3. Norne	Sena Jurinac
Woglinde	Sena Jurinac
Wellgunde	Magda Gabory
Flosshilde	Hilde Rössl-Majdan

6., 7. und 8. Dezember 1953, Berlin.

Berliner Philharmoniker.

Chr. W. von Gluck: Iphigénie en Aulide: Ouvertüre

G. Mahler: Fünf Kindertotenlieder
Dietrich Fischer-Dieskau, Bariton

A. Bruckner: Sinfonie Nr. 5, B-Dur

12. und 13. Dezember 1953, Wien.

Wiener Philharmoniker.

C. Franck: Sinfonie in d-Moll

P. Hindemith: Die Harmonie der Welt

Rich. Wagner: Tannhäuser-Ouvertüre

*) Ein Akt pro Tag.

12. März 1954, London.
Philharmonia Orchestra.
L. van Beethoven: Sinfonie Nr. 4, B-Dur op. 60
L. van Beethoven: Leonoren-Ouvertüre Nr. 2, C-Dur op. 72
L. van Beethoven: Sinfonie Nr. 5, c-Moll op. 67

19. März 1954, Caracas.
Venezuela Sinfonie Orchester.
G. Fr. Händel: Concerto Grosso, d-Moll op. 6, Nr. 10
Rich. Strauss: Don Juan, op. 20
Rich. Wagner: Tannhäuser-Ouvertüre

21. März 1954, Caracas.
Venezuela Sinfonie Orchester.
· *G. Fr. Händel:* Concerto Grosso, d-Moll op. 6, Nr. 10
· *Joh. Brahms:* Sinfonie Nr. 1, c-Moll op. 68
· *Rich. Strauss:* Don Juan, op. 20
Rich. Wagner: Tannhäuser-Ouvertüre

26. März 1954, Zürich.
Tonhalle-Orchester.
W. Furtwängler: Sinfonie Nr. 2, e-Moll
L. van Beethoven: Sinfonie Nr. 1, C-Dur op. 21

30. März 1954, Stuttgart.
Sinfonieorchester des Süddeutschen Rundfunks.
W. Furtwängler: Sinfonie Nr. 2, e-Moll
L. van Beethoven: Sinfonie Nr. 1, C-Dur op. 21

1. April 1954, Hamburg.
Berliner Philharmoniker.
Fr. Schubert: Rosamunde-Ouvertüre, D 644
Fr. Schubert: Sinfonie Nr. 8, h-Moll op. posth., D 759
Fr. Schubert: Sinfonie Nr. 9, C-Dur op. posth., D 944

2. April 1954, Hamburg.
Berliner Philharmoniker.
L. van Beethoven: Sinfonie Nr. 2, D-Dur op. 36
L. van Beethoven: Leonoren-Ouvertüre Nr. 2, C-Dur op. 72
Joh. Brahms: Konzert Nr. 1 für Klavier und Orchester, d-Moll op. 15
Eric Then-Bergh, Klavier

4., 5. und 6. April 1954, Berlin.
Berliner Philharmoniker.
L. van Beethoven: Sinfonie Nr. 2, D-Dur op. 36
L. van Beethoven: Leonoren-Ouvertüre Nr. 2, C-Dur op. 72
Joh. Brahms: Konzert Nr. 1 für Klavier und Orchester, d-Moll op. 15
Eric Then-Bergh, Klavier

10. und 11. April 1954, Wien.
Wiener Philharmoniker.
A. Bruckner: Sinfonie Nr. 8, c-Moll (Originalfassung)

14., 15., 16. und 17. April 1954, Wien.
Wiener Philharmoniker, Wiener Singakademie, Wiener Sängerknaben.
Joh. Seb. Bach: Matthäuspassion, BWV 244
Elisabeth Grümmer, Sopran – Marga Höffgen, Alt – Anton Dermota, Evangelist/Tenor – Dietrich Fischer-Dieskau, Jesus – Otto Edelmann, Bass

25., 26. und 27. April 1954, Berlin.
Berliner Philharmoniker.
G. Fr. Händel: Concerto Grosso, D-Dur op. 6, Nr. 5
Joh. Brahms: Sinfonie Nr. 3, F-Dur op. 90
B. Blacher: Concertante Musik, op. 10
Rich. Strauss: Don Juan, op. 20
Rich. Wagner: Tristan und Isolde: Vorspiel und Liebestod

28. April 1954, Hannover.
Berliner Philharmoniker.
G. Fr. Händel: Concerto Grosso, D-Dur op. 6, Nr. 5
Joh. Brahms: Sinfonie Nr. 3, F-Dur op. 90
L. van Beethoven: Sinfonie Nr. 5, c-Moll op. 67

29. April 1954, Bielefeld.
Berliner Philharmoniker.
C. M. von Weber: Euryanthe-Ouvertüre
Joh. Brahms: Variationen über ein Thema von Joseph Haydn, op. 56a
Fr. Schubert: Sinfonie Nr. 8, h-Moll op. posth., D 759
L. van Beethoven: Sinfonie Nr. 5, c-Moll op. 67

30. April 1954, Köln.
Berliner Philharmoniker.
G. Fr. Händel: Concerto Grosso, D-Dur op. 6, Nr. 5
Joh. Brahms: Sinfonie Nr. 3, F-Dur op. 90
L. van Beethoven: Sinfonie Nr. 5, c-Moll op. 67

3. Mai 1954, Paris.
Berliner Philharmoniker.
G. Fr. Händel: Concerto Grosso, D-Dur op. 6, Nr. 5
Joh. Brahms: Sinfonie Nr. 3, F-Dur op. 90
B. Blacher: Concertante Musik, op. 10
Rich. Strauss: Don Juan, op. 20
Rich. Wagner: Tannhäuser-Ouvertüre
Zugabe: *Rich. Wagner:* Tristan und Isolde: Vorspiel und Liebestod

4. Mai 1954, Paris.
Berliner Philharmoniker.
C. M. von Weber: Euryanthe-Ouvertüre
Joh. Brahms: Variationen über ein Thema von Joseph Haydn, op. 56a
Fr. Schubert: Sinfonie Nr. 8, h-Moll op. posth., D 759
L. van Beethoven: Sinfonie Nr. 5, c-Moll op. 67

5. Mai 1954, Lyon.
Berliner Philharmoniker.
G. Fr. Händel: Concerto Grosso, D-Dur op. 6, Nr. 5
Joh. Brahms: Sinfonie Nr. 3, F-Dur op. 90
L. van Beethoven: Sinfonie Nr. 5, c-Moll op. 67

6. Mai 1954, Genève.
Berliner Philharmoniker.
C. M. von Weber: Euryanthe-Ouvertüre
Joh. Brahms: Sinfonie Nr. 3, F-Dur op. 90
Rich. Strauss: Till Eulenspiegels lustige Streiche, op. 28
Rich. Wagner: Tannhäuser-Ouvertüre

7. Mai 1954, Lausanne.
Berliner Philharmoniker.
Joh. Brahms: Variationen über ein Thema von Joseph Haydn, op. 56a
Fr. Schubert: Sinfonie Nr. 8, h-Moll op. posth., D 759
L. van Beethoven: Sinfonie Nr. 5, c-Moll op. 67

8. und 9. Mai 1954, Milano.
Berliner Philharmoniker.
C. M. von Weber: Euryanthe-Ouvertüre
Joh. Brahms: Variationen über ein Thema von Joseph Haydn, op. 56a
Fr. Schubert: Sinfonie Nr. 8, h-Moll op. posth., D 759
L. van Beethoven: Sinfonie Nr. 5, c-Moll op. 67
Zugabe (9. Mai): *Rich. Wagner:* Tannhäuser-Ouvertüre

10. Mai 1954, Firenze.
Berliner Philharmoniker.
G. Fr. Händel: Concerto Grosso, D-Dur op. 6, Nr. 5
Joh. Brahms: Sinfonie Nr. 3, F-Dur op. 90
L. van Beethoven: Sinfonie Nr. 7, A-Dur op. 92
Zugabe: *Rich. Wagner:* Tannhäuser-Ouvertüre

11. Mai 1954, Perugia.
Berliner Philharmoniker.
Joh. Brahms: Variationen über ein Thema von Joseph Haydn, op. 56a
L. van Beethoven: Sinfonie Nr. 7, A-Dur op. 92
Rich. Strauss: Till Eulenspiegels lustige Streiche, op. 28
Rich. Wagner: Tristan und Isolde: Vorspiel und Liebestod
Zugabe: *Rich. Wagner:* Tannhäuser-Ouvertüre

12. Mai 1954, Roma.
Berliner Philharmoniker.
Joh. Brahms: Sinfonie Nr. 3, F-Dur op. 90
Rich. Strauss: Till Eulenspiegels lustige Streiche, op. 28
L. van Beethoven: Sinfonie Nr. 5, c-Moll op. 67
Zugabe: *Rich. Wagner:* Tannhäuser-Ouvertüre

14. Mai 1954, Torino.
Berliner Philharmoniker.
C. M. von Weber: Euryanthe-Ouvertüre
Joh. Brahms: Sinfonie Nr. 3, F-Dur op. 90
Rich. Strauss: Till Eulenspiegels lustige Streiche, op. 28
Rich. Wagner: Tristan und Isolde: Vorspiel und Liebestod
Zugabe: *Rich. Wagner:* Tannhäuser-Ouvertüre

15. Mai 1954, Lugano.
Berliner Philharmoniker.
L. van Beethoven: Sinfonie Nr. 6, F-Dur op. 68
W. A. Mozart: Konzert Nr. 20 für Klavier und Orchester, d-Moll KV 466
Yvonne Lefébure, Klavier
Rich. Strauss: Till Eulenspiegels lustige Streiche, op. 28

16. Mai 1954, Zürich.
Berliner Philharmoniker.

G. Fr. Händel: Concerto Grosso, D-Dur op. 6, Nr. 5
Joh. Brahms: Sinfonie Nr. 3, F-Dur op. 90
L. van Beethoven: Sinfonie Nr. 5, c-Moll op. 67

17. Mai 1954, Freiburg im Breisgau.
Berliner Philharmoniker.
Joh. Brahms: Variationen über ein Thema von Joseph Haydn, op. 56a
Joh. Brahms: Sinfonie Nr. 3, F-Dur op. 90
L. van Beethoven: Sinfonie Nr. 5, c-Moll op. 67

18. Mai 1954, Baden-Baden.
Berliner Philharmoniker.
L. Cherubini: Anacréon-Ouvertüre
Joh. Brahms: Sinfonie Nr. 3, F-Dur op. 90
B. Blacher: Concertante Musik, op. 10
Rich. Strauss: Till Eulenspiegels lustige Streiche, op. 28
Rich. Wagner: Tristan und Isolde: Vorspiel und Liebestod

19. Mai 1954, Karlsruhe.
Berliner Philharmoniker.
L. Cherubini: Anacréon-Ouvertüre
Fr. Schubert: Sinfonie Nr. 8, h-Moll op. posth., D 759
Rich. Strauss: Till Eulenspiegels lustige Streiche, op. 28
L. van Beethoven: Sinfonie Nr. 7, A-Dur op. 92

20. Mai 1954, Mannheim.
Berliner Philharmoniker.
L. van Beethoven: Sinfonie Nr. 6, F-Dur op. 68
L. van Beethoven: Sinfonie Nr. 5, c-Moll op. 67

21. Mai 1954, Kassel.
Berliner Philharmoniker.
Joh. Brahms: Variationen über ein Thema von Joseph Haydn, op. 56a
Joh. Brahms: Sinfonie Nr. 3, F-Dur op. 90
L. van Beethoven: Sinfonie Nr. 7, A-Dur op. 92

23., 24. und 25. April 1954, Berlin.
Berliner Philharmoniker.
L. van Beethoven: Sinfonie Nr. 6, F-Dur op. 68
L. van Beethoven: Sinfonie Nr. 5, c-Moll op. 67

30. Mai 1954, Wien.
Wiener Philharmoniker.
Fr. Schubert: Rosamunde-Ouvertüre, D 644
Fr. Schubert: Sinfonie Nr. 8, h-Moll op. posth., D 759
Fr. Schubert: Sinfonie Nr. 9, C-Dur op. posth., D 944

2. Juni 1954, Genève.
Orchestre de la Suisse-Romande.
L. van Beethoven: Sinfonie Nr. 4, B-Dur op. 60
L. van Beethoven: Sinfonie Nr. 3, Es-Dur op. 55

3. Juni 1954, Lausanne.
Orchestre de la Suisse-Romande.
L. van Beethoven: Sinfonie Nr. 4, B-Dur op. 60
L. van Beethoven: Sinfonie Nr. 3, Es-Dur op. 55

26., 30. Juli, 5., 16. und 28. August 1954, Salzburg.
Wiener Philharmoniker, Chor der Staatsoper Wien.
Regie: Günther Rennert, Bühnenbild: Teo Otto.
C. M. von Weber: Der Freischütz, op. 77

Ottokar	Alfred Poell
Kuno	Oscar Czerwenka
Agathe	Elisabeth Grümmer
Aennchen	Rita Streich
Kaspar	Kurt Böhme
Max	Hans Hopf
Kilian	Karl Dönch
Samiel	Claus Clausen
Eremit	Otto Edelmann

3., 6., 10., 13. und 18. August 1954, Salzburg.*)
Wiener Philharmoniker, Chor der Staatsoper Wien.
Regie: Herbert Graf, Bühnenbild: Clemens Holzmeister.
W. A. Mozart: Don Giovanni, KV 527

l'Commen-tatore	Deszö Ernster
Don Giovanni	Cesare Siepi
Don Ottavio	Anton Dermota
Donna Anna	Elisabeth Grümmer
Donna Elvira	Elisabeth Schwarzkopf
Leporello	Otto Edelmann
Masetto	Walter Berry
Zerlina	Erna Berger

9. August 1954, Bayreuth.
Chor und Orchester der Bayreuther Festspiele 1954.
L. van Beethoven: Sinfonie Nr. 9, d-Moll op. 125
Gre Brouwenstijn – Ira Malaniuk – Wolfgang Windgassen – Ludwig Weber

21. und 22. August 1954, Luzern.
Philharmonia Orchestra, Festwochenchor (Albert Jenny)
L. van Beethoven: Sinfonie Nr. 9, d-Moll op. 125
Elisabeth Schwarzkopf – Elsa Cavelti – Ernst Häfliger – Otto Edelmann

25. August 1954, Luzern.
Philharmonia Orchestra.
Jos. Haydn: Sinfonie Nr. 88, G-Dur
A. Bruckner: Sinfonie Nr. 7, E-Dur (Originalfassung)

30. August 1954, Salzburg.
Wiener Philharmoniker.
L. van Beethoven: Sinfonie Nr. 8, F-Dur op. 93
L. van Beethoven: Große Fuge, B-Dur op. 133
L. van Beethoven: Sinfonie Nr. 7, A-Dur op. 92

6. September 1954, Besançon.
Orchestre de la Radiodiffusion Française.
L. van Beethoven: Coriolan-Ouvertüre, op. 62
L. van Beethoven: Sinfonie Nr. 6, F-Dur op. 68
L. van Beethoven: Sinfonie Nr. 5, c-Moll op. 67

19. und 20. September 1954, Berlin.
Berliner Philharmoniker.
W. Furtwängler: Sinfonie Nr. 2, e-Moll
L. van Beethoven: Sinfonie Nr. 1, C-Dur op. 21

---

*) Im August 1954 Filmaufnahme des Don Giovanni für Connoisseur Film Ltd., London. Statt Elisabeth Schwarzkopf sang Lisa della Casa, sonst gleiche Besetzung.